尋夢園 系列 1160

機車王子

◆晴宇

讀者專線

任何查詢、意見或投訴請致電：

☎ 2528 3673　吳小姐

傳真：2865 2609

尋夢園之友：http://starriver.hypermart.net

網上購書：http://cosmos.yesoutlet.com

尋夢園 系列 1160

機車王子

作　者　晴　宇

出　版　星河出版社

香港黃竹坑道新興工業大廈11樓

電話：2528 3673　傳真：2865 2609

總代理　天地圖書有限公司

香港皇后大道東智群商業中心十三字樓

電話：2528 3671　傳真：2865 2609

香港灣仔莊士敦道三十號地庫／一樓（門市部）

九龍尖沙咀彌敦道96號（門市部）

發　行　藝文圖書有限公司

觀塘偉業街99號連順工業大廈5字樓

電話：2795 9595　傳真：2795 8818

ISBN-13:978-988-211-448-7

ISBN-10:988-211-448-2

楔子

苗栗縣苑裡鎮算是在台灣極少數還保有淳樸風貌的小鎮，因為夠淳樸，所以即使只發生一點點芝麻綠豆大的小事，也足以讓附近三鄰以內的居民討論個半天。

今天十四鄰就發生了一件足以讓三姑六婆「震驚」的大新聞——巷子口的田家獨生子竟然在高中畢業的這一天，「公然」和年邁的父親嗆聲，決定遠走他鄉到台中發展，不再繼續升學。

這件事把已經八十二高齡的田老給氣壞了，拿著楞杖追打不肖子。

要不是他們激烈的爭論聲毫無遮掩的透過薄薄的紗門傳出，恐怕消息也不會傳得這麼快，轉眼間不但左鄰右舍爭相討論，還以光速般的速度向十五、十六、十七鄰傳送。

大家都知道，田老好不容易在六十二歲時花了大把大把的鈔票，才讓一個見錢眼開的父親將年輕又嬌美的女兒嫁給他，然後拚了老命才在六十四歲蹦出這麼個子兒。

兒子才滿月，老婆就跑得不見蹤影，也沒留下隻字片語，全靠田老的月退俸一點一滴將兒子拉拔長大，現在唯一的寄託這樣忤逆他，心臟病還沒發作也算是很給面子了。

這些鄰居們除了仔細聆聽接下來的發展外，還得拿著話筒準備隨時叫救護車，以免田老一個閃神就引發心肌梗塞。

整件事情在田家獨子揹著行囊甩門出去後，暫時告一段落，而鄰里間也跟著開始熱烈討論。

李香吟和隔壁的王大嬸針對這件事做出一番「結論」後，才踏著滿意的步伐回家煮晚飯。

一進門，她就看到一雙兒女坐在客廳，讀高二的女兒至少還一邊幫忙穿手工項鍊的珠子，一邊看電視；但讀國三的寶貝兒子可就乾脆什麼也不做，橫躺在老舊的藤椅上，手裡拿著一包「金牛角」，蹺著兩條腿看電視。

對於兒子這樣的態度她已經習慣了，是她寵出來的嘛！不習慣行嗎？

她一屁股坐到女兒身邊的位置，發揮喋喋不休的本色，把田家事件加油添醋再描述一次。

「……所以你們兩個給我聽好，誰要是敢像田家那小子有書不唸，偏偏要去機車店當沒出息的學徒、做黑手，你們皮就給我繃緊一點！」說完還不忘警告一番。

李香吟和田老唯一相似的地方就是兩個都沒了伴——田老是老婆跑了，她卻是老公不想活了，得了肝癌，等到發現時已經來不及，不到半個月的時間就說掰掰。

田老是抗戰有功、光榮退伍的老兵，還有終身月退俸，不怕沒飯吃，可她一個女人家卻得靠著幫人修改衣服、做家庭代工，才能夠把兩個孩子捏到這麼大，絕對不允許發生像田家小子那樣的忤逆事件。

「琇希，妳弟還小，不懂這些，妳可要給我聽清楚，媽再怎麼沒錢也至少讓妳讀到高中，妳知道為什麼吧？」李香吟長嘆一口氣後才又繼續說道：「還不就是希望妳能幫我找個金龜婿，要不然養女兒就等於養個賠錢貨，養大了還不是別人家的人，幫別人家賺錢？媽肯把妳養這麼大還讓妳受教育，妳將來可要知道報答嗄！」

其實她根本沒把希望放在女兒身上，也很不想承認藍琇希是她的女兒。像她這麼精明幹練、做事俐落的女人，怎麼也不相信自己會生出一個超級慢郎中！動作反應慢半拍，連高中都是吊車尾考上的綜合高中，反正以後嫁了人就給她的婆家去傷腦筋，她對她只是懷抱一點點點點的幻想而已。

「嗯。」藍琇希輕應，專心穿著手中的珠子。

老媽的這些話她已經聽了不下百遍，從小學三年級開始聽到現在，老媽不用說，她都可以先背出歷年來的幾套固定版本供她選擇。

不過，這次老媽唸的是哪個版本她完全沒聽進去，心思全在老媽剛剛說的田家八卦上打轉。

田元豐耶！苗中的風雲人物，籃球社及排球社的社長耶！

他讀的雖是汽修科，但是每次模擬考成績都在全校前十五名內，隨便撈個大學讀絕對不成問題，而且他不只是學科成績優秀，就連其他術科的成績也經常名列前茅，怎麼可能突然決定不繼續升學了？而且還和爸爸鬧得這麼僵?!

如果連老媽都知道這個消息，那隔壁幾鄰的居民應該也都收到消息了。可以肯定的是，田元豐這個決定絕對會讓崇拜他的「田元豐後援會」哭到天翻地覆！

這個消息實在是太震撼了！

嗯……奇怪，她這個不敢像其他女生藉機找他說話，只敢暗中偷瞄的學妹，怎麼心裡也有股酸意拚命想湧出喉頭？

她怎麼那麼想哭呀?!

第一章

「琇希，明天開始妳就騎妳弟的車去上班吧！」李香吟邊將曬在走廊上的大黃瓜翻面，邊對著正準備出門上班的藍琇希說道。

「嗯？那勝希呢？」家裡只有一台很大台的一五〇ＣＣ摩托車，是藍勝希高中畢業後吵著買下的，她和老媽碰也碰不得，上次老媽只不過把鋪滿蒜頭的竹簍放在摩托車坐墊上一下子而已，他的表情就像要殺了老媽一樣的憤怒，所以她和老媽根本連碰都不敢碰他的愛車一下。

「他買轎車了，聽說車子今天會牽過來，妳弟看妳每天轉這麼多班車很辛苦，才說要把摩托車給妳騎。」李香吟說這話有些心虛，因為事實根本不是這樣。

轎車是她捱不過兒子苦苦要求而標下兩個會買的，至於要琇希騎摩托車也是她的意思，因為摩托車已經有三年多的歷史，早不像剛買時那樣風光，而且兒子不騎了總還是要讓它每天動一動，不然要放給它壞啊？當初也是花了快十萬塊買的呢！

「轎車?!他才剛退伍，進新公司還不到一個月就可以買車？」她非常清楚自己的弟弟有幾兩重。

「我標會幫他買的，他和妳不一樣，現在哪個男生沒有車？沒有車的男人做不了什麼大事，也交不到什麼好對象，所以這是投資妳懂不懂？」李香吟將藍勝希用來說服她的理由覆誦一遍。

縱使覺得老媽實在寵弟弟寵到不可理喻，藍琇希也知道不能說什麼，因為媽媽不但不會聽，反而還會把她臭罵一頓，然後再搬出女兒是賠錢貨那套理論來。

「勝希說他的老闆很賞識他，要提拔他，那他當然要體體面面的才會得老闆疼愛啊！有部車也方便很多，他還說放假要載我到處去玩呢！」李香吟陶醉的神情讓人不忍潑她冷水。

「嗯，那我先去上班了，公車快來了。」她知道這個時候絕對不可以開口，更不能告訴老媽她覺得勝希不可能載她出去玩，免得討罵挨。

「去去去，不過是一個小公司的會計，每個月薪水少得可憐，還一大早就要出門，唉～～有讀書跟沒讀書的就是差這麼多！」李香吟又開始她的李氏嘮叨。

琇希往公車站牌的方向疾走，對於老媽的數落她已經很習慣了，聽聽就好。

高中畢業後，她就決定不再升學，一來她的成績勉強只能算中上，二來她讀的是會計科，只要高中畢業就可以做一般會計的工作，況且母親光是應付弟弟這張大嘴就很吃力，她不想再增加母親的負擔。

本來她可以像其他鄰居的女孩一樣，藉口鄉下地方找不到工作而乘機離家，不過她選擇留下，並在苗栗市區一家小公司找到一個會計兼打雜小妹的職位，薪水雖然不高，但至少不用加班，又可以天天回家。

丈夫不在身邊、兒子又常常不回家，她想老媽是需要人陪伴的，即使無論發生大小事老媽都要唸她一回，她還是希望能多陪陪她，就算不受寵也無所謂。

還沒到巷口的「元豐機車店」，她就趕緊開始小跑步。

很奇怪，雖然這麼早機車店還沒開門，但是每次她總是非常緊張，擔心深藍色的鐵門會突然被拉開，然後走出她多年前曾經暗戀過的那個男人……不過每次都是她想太多了，因為那片鐵捲門從來沒有在她出門上班的時刻開啟過，一次也沒有。

下了班，她根本不敢從巷口走回去，每次都繞路從另一頭進去，就怕和田元豐碰面。

自從一年半前，田元豐從台中「學成歸鄉」，回到這裡開了這家摩托車店後，繞路回家就變成她的例行公事了。

看到公車正緩緩停到站牌前，她趕緊加快速度朝著公車跑去，氣喘吁吁的上車，拿出月票讓司機剪下一格。

司機將月票還給她，她向司機道謝。「謝謝。」

「不用謝了，下次不需要這樣跑，我知道妳都搭這班車，等個五分鐘都還沒問題。」憨厚的司機熱心地說，反正鄉下地方坐公車的就那麼幾個人，久了大都熟識了，等一會兒沒問題的。

「謝謝！不過明天起，我可能就不搭車了。」

「為什麼？」司機很訝異，這乖巧的女孩可是從高中就坐他的車，怎麼突然說不坐了？

藍琇希笑得有些靦覥。「因為我弟弟把他的摩托車給我，所以明天起我改騎車上班。」

司機笑道：「喔～～原來是這樣。那不錯啊！其實妳每天轉這麼多班車很辛苦，騎摩托車還是比較方便。」他的「固定班底」又少一個了。

「嗯。」

藍琇希走到她平常固定坐的位子坐下，隨著公車的晃動小憩一番。

對藍琇希來說，騎摩托車上班並沒有變得比較輕鬆。

首先她要先學會騎老弟那台重到不行的摩托車，等確定可以上路了以後，還是一樣得提早一個小時出門——因為她微薄的力氣無法將車子立起，只能用斜擋將車子斜放，所以必須提早出門，以免找不到可以讓她斜放車子的「大」車位。

唯一不一樣的地方是她回家時不再繞路，反正她都戴著安全帽和口罩，誰也看不清楚，只是經過摩托車店時還是會緊張的冒冷汗而已。

「糟糕，又忘記要換機油了。」藍琇希看著儀表板上閃爍個不停的紅燈喃喃自語。

藍勝希雖然有了新歡，可還不忘提醒她要好好照顧他的舊愛，交代她要定期保養，機油紅燈亮時就要趕緊去換機油，最多不可以撐超過兩百公里，否則不但對車子很傷，還很容易「縮缸」。

自從亮燈後，她又多騎兩百多公里，每次都忘了要去換機油，現在突然想起來又已經離市區的機車店有一段距離，剩下的唯一選擇就是巷口的「元豐機車店」。

這是她最不願也不敢去的地方，所以每次車子有狀況時，她都寧願跑遠一點到苗栗市區處理，而不敢就近騎到巷口的機車店。

「算了，就一次吧！閉著眼就過去了。」藍琇希為自己打氣。

現在再回頭到市區去太遠了，而且她也不想浪費時間，因此她先將車子停在距離機車店還有一段距離的馬路邊，仔細觀察機車店的動靜。

很好，店門口沒像往常一樣聚集一堆男人，也沒有其他客人，兩個學徒蹲擠在店面旁，研究著一台已經被拆解到只剩車骨架的摩托車，而她最最在意的人正坐在店裡唯一的一張辦公桌前講電話，所以依目前的情況看來，她算是有利的一方。

深吸一口氣，扳下安全帽護罩，往「元豐機車店」前進！

她用還算瀟灑的騎姿將車騎進車店，原本蹲著的其中一名學徒馬上起身詢問。「車子有什麼問題？」

「要換機油。」琇希戴著安全帽及口罩小聲說道。

「好。」學徒接過車子，輕鬆的將車子立起。

琇希對於他能輕而易舉的將這台龐然大物立起感到佩服。

學徒隨口問她。「妳是不是住在巷子裡啊？」

「是是是啊！」都怪這台車太顯眼，才會引起他們注意。

「那妳怎麼都沒到我們這邊保養？」在這種小地方，附近的機車就那麼幾十台，每一台都在他們的掌控中，獨獨這一台始終沒到過店裡，所以他們早就注意這台車很久了。

「嗯……因為在市區上班，所以都直接在市區保養。」怎麼眼前的小學徒變得像是檢察官一樣嚇人啊？

「喔，以後妳可以到我們這邊保養，大家都是鄰居，基於敦親睦鄰的道理，我們價格都算得很實在，而且就算妳在很遠的地方拋錨，只要一通電話，我們馬上就到，服務好得很！像你們這種不懂車子的人到市區的摩托車店，只有被敲竹槓的分，唉喲～～」小學徒的頭被狠狠敲了一記，讓他痛得悶哼一聲。

田元豐本來打算由小學徒幫客人換機油就好了，可是看小學徒愈說愈得意，還對市區的同行做起「店身攻擊」，才乾脆出來給他一個小小的警告。

小學徒撫著後腦勺，抬起頭，瞇著眼看老闆，嘴裡還不忘嘶嘶叫。

其實也不是真的那麼痛啦，他只是誇張了點。

「別亂說話！去忙你的，我來就好。」再讓小學徒繼續胡言亂語下去，關於機車店的一些不實流言，五分鐘後就會傳遍好幾鄰。

當初他和爸爸不和的消息，就是在三分鐘內傳遍整個鄰，然後十分鐘內再往外散播到其他鄰里，讓他整整被誤會了四年多，直到他回來後，天天陪老爸散步，老爸逢人就誇他，說以前都是自己誤會了，原來兒子早早就自動規劃好未來了。

因為對機車的結構有興趣，所以他在高二時就已經打算不繼續升學了；雖然學歷對別人可能很有用，但是對他這個早已設定要修摩托車的人，卻只能算是可有可無的補品。

由於他的右手臂有習慣性脫臼的狀況，讓他免去兩年的兵役問題，也比別人多出兩年的時間學習，但是別人都是國中畢業就開始學修車，所以他要求自己一年當三年用，拚命的學習！

幸好讓他遇到一個不會藏私的好老闆，所以他學得既快又多，當然老闆對他也是照顧有加，知道他要回家自己開店時，還交代他不少關於開店要注意的事項，即使到了現在，他和老闆還是常常聯絡，有時他還會到老闆台中的店裡坐坐。

這兩年因為迷上重型機車，所以除了一般的機車修理保養外，田元豐將店內的重心逐漸轉向重型機車。雖然機車店的位置並不算好，只是把家裡一樓改裝成店面，但是經過一些騎士的口耳相傳後，竟也做出口碑，有很多人千里迢迢從北部或南部騎車過來找他修理或維護呢！

現在一般摩托車的修理他都交給兩個小學徒做，自己則專門負責重型機車的部分，之所以會走出來關切，是因為看到小學徒愈說愈超過，怕他嚇壞這個初次登門的客人，所以他才會親自出馬，反正現在手上也沒車要處理。

小學徒撫著頭驚呼：「她只是要換機油耶！」換個機油不用老闆親自出馬吧？

「嗯，我來處理。」田元豐乾脆直接蹲下來，還輕推小學徒一把，讓他差點因為重心不穩而跌倒。

小學徒只好起身，回到店面旁邊和同伴繼續跟摩托車骨架奮戰。

國中時就開始暗戀的對象，此刻就蹲在腳跟前，讓藍琇希慌得手足無措，根本忘了要怎麼呼吸。

田元豐先拿一個小盆子承接車內的髒機油，然後壓壓車子的輪胎，按按手把煞車，本來抬起頭要問她一些關於車子狀況的問題，卻發現她一副呼吸困難的樣子，於是開口建議道：「小姐，妳看起來很不舒服的樣子，要不要先把安全帽和口罩脫下，免得悶壞了？」

「不不不不用了。」藍琇希兩手猛搖晃，連聲拒絕。

田元豐聳聳肩。「為了安全起見，現在連進便利商店也不可以戴安全帽和口罩，我看我們店裡也該設個標語，建議客人進店裡要脫口罩及安全帽才行。」其實他跟小學徒一樣，對這個每天經過卻從不上門的嬌客很好奇，想看看她的廬山真面目，何況這裡就這麼幾戶人家，他至少應該見過她才對。

暗戀的對象竟然把自己當成搶劫嫌疑犯?!他這樣的暗示，讓她更加羞窘得手足無措。

藍琇希緩緩將安全帽摘下，然後將口罩拿掉放入外套口袋，一張蘋果臉紅通通的，還佈滿一層薄薄的汗水。

任何人看到她這副模樣，一定都會以為她是因為太悶熱的關係，其實她很清楚的知道，自己之所以全身發燙，都是因為和暗戀對象有了「第一次」接觸，雖然遲了好幾年，但至少終於有接觸了。

「幸好我要妳將安全帽拿掉，不然妳一定會因為缺氧而昏倒。」他露出大大的笑容，看到她臉紅成這樣，他確定自己的建議是對的。

藍琇希虛弱的微勾起嘴角。沒想到事隔多年，他的笑容還是這麼的陽光，這麼的好看。

「咦?我們是不是讀同一所高中?」他覺得她有些面熟。

「嗯。」豈只是高中，小學和國中也都是同一所好不好？只是不同年級而已。

「那妳算是我學妹嘍？」

「嗯。」一個從國中開始就暗戀他的學妹。

「妳讀哪一科？」他不確定對她的印象是在學校，還是因為她就住在巷底，所以多多少少會碰見個幾次。

「會計。」小鹿亂撞已不足以形容她現在心跳的速度，簡直是萬馬奔騰啊！

「了解，所以妳現在在當會計嘍？」雖然和她閒聊，但是手可沒停下來，現在正仔細的幫她檢查車子的各項功能。

「嗯。」

「結婚沒？」他隨口問，在這種鄉下地方二十出頭就結婚的一堆。

「嗄？沒。」真是的！怎麼問她這種問題？

他試著打方向燈，好確定方向燈可以正常運作。「那妳畢業後都沒到外面工作?」他指的是外縣市。

苗栗這個地方很特殊，年輕人畢業後通常會先往台中或其他較大的城市發展，不然就是往竹科鑽，很少會留在家裡。

「嗯，反正會計這種工作在哪裡做都一樣，我不想離家太遠。」應該說是因為她生平無大志才對。

「唔。咦?妳是不是藍勝希的姊姊還是妹妹?」他是因為認出這台摩托車是藍勝希的。

「是、是啊!你認識我弟?」這怎麼可能?

田元豐唇畔浮現一抹淺淺的笑意。「算吧!」

「可是……你們明明不同年呀!」怎樣也無法把他們兩個湊在一起。

「嘿嘿，這應該算是男人的秘密吧!」

藍琇希雖然沒回話，但臉上困惑的表情已經說明了一切，而且她非常想知道他們是怎麼認識的?

「這車不是他的嗎?」藍勝希也同樣沒騎過這台車到他們店裡做維修。

「嗯，他換車了，所以摩托車給我騎。」

他停下檢查的動作，改為一手扶著車把、與她面對面的姿勢。「喔，那他現在在哪裡上班？」

「竹科。」藍勝希說什麼也不可能待在這個他認為狗不拉屎、鳥不生蛋的鳥地方，即使在竹科上班，他還是寧願在新竹租房子住，也不要天天通車。

「喔～～賺錢的好地方。」他有不少重型機車的客人來自竹科，對於他們出手闊綽的印象非常之深刻。

藍琇希以淺笑回答，因為她從沒看弟弟拿錢回家過，所以也不知道弟弟是不是真的也很會賺錢。

「嗯……你還沒告訴我，你和我弟是怎麼認識的？」她還是很好奇這件事。

「喔，這也沒什麼啦，只是他被我痛揍過兩次而已。」所以他離開這裡時，最高興的應該是藍勝希，至少他不用再為了迴避他而刻意繞路回家了。

咦?!怎麼這對姊弟都這麼喜歡繞路啊？

第二章

「嗄?!你為什麼打我弟?」雖然他是她暗戀的對象，雖然她的弟弟根本不把她當姊姊看，還常常欺負她，但是聽到自己的弟弟被打，她還是覺得應該為弟弟伸張正義。

「那是很久以前的事了，那時我高三，他應該是國中生吧?最多不會超過高一。」田元豐瞇著眼努力回想。

「國三，你為什麼打他?」她先替他回答，然後堅持要知道他為何打弟弟。

「他欺負隔壁鄰的女生，我看不下去喝止他，是他屢勸不聽我才動手的。」他很少出手打人，那是不良少年在做的事。

這下換藍琇希瞇眼了。

「欺負女生?!這怎麼可能？」弟弟平時雖壞，對女生卻都挺有風度的，還常常把「打某豬狗牛」掛在嘴邊，表示自己對女生絕對體貼。

「他不但嫌棄人家矮、醜、胖，還說什麼以後要遇到眼睛被屎糊到的男人才會娶她，還對人家粗手粗腳，最後甚至故意把對方推到排水溝內！雖然排水溝裡面已經乾涸，但是這種行為還是很要不得，屢勸不聽的人就只能動手教訓了。教訓一次他就該學乖才對，結果他又找人家麻煩，剛好又被我逮到，第二次不用多說，直接揍就對了。」他不會因為她是藍勝希的姊姊就刻意修飾言語。

「他平常不是這樣的……」說這話令她感到有點心虛，羞愧得直想就地挖個洞把自己種進去。

「事情都過去這麼久就算了，還是回到正題吧！」一來事情已經過了很久，二來看她一副快斷氣的模樣，田元豐也不好再逼她。「車子吃什麼種類的機油？」

「嗄？就摩托車用的機油啊！」機油就是機油，還分什麼種類？

「公司的標準機油，還是有指定廠牌？」再問一次。

藍琇希微偏著頭，考慮是要隨便給他個答案，還是老實承認自己聽不懂？最後她決定老實承認，免得因為亂給答案而把車子弄壞了，肯定會被弟弟剝皮！

「我不懂你的意思，通常我去換機油時，老闆都沒問我這個。」之前的店家都沒問過這個問題。

「嗯……那妳每次都付多少錢？」只好以價格來猜測她用的機油等級了。

「忘了。」她沒事記這個幹麼？

田元豐短暫停頓一會兒後，再度開口。「車子常跑長途嗎？」

「怎樣算長途？我只用來上下班而已。」換個機油也要考試是不是？

「公司在哪裡？」

藍琇希瞇起眼，不知該不該回答，因為她根本不知道他問這個要幹麼？而且她剛剛不是已經跟小學徒說她在市區上班了嗎？就算他坐在裡面，也該不小心聽到一下吧？

看出她的疑惑，他覺得自己有必要解釋一下。「我只是想依妳公司的遠近來決定該用什麼等級的機油，如果妳的公司很近，那只要用公司的標準機油就行了，但是如果妳的公司比較遠，最好還是用等級高一點的機油，否則對車子會很傷。」像他這種愛車人，最不喜歡看到的就是車子被蹧蹋。

「喔，市區。」算了，再說一次又不會死。

「那還好，應該用公司貨就可以了。」從架上拿出一瓶淺藍色的罐裝機油，走回車旁蹲下。

「上次有換齒輪油嗎？」一邊將機油倒入機油箱內一邊詢問。

「什麼？」怎麼到別家換機油都沒這些問題？

「齒輪油，每換兩次機油就要換一次齒輪油。」田元豐耐著性子解釋。

藍琇希搖頭擺手。「沒有。」

從她接手這台車以來，除了換機油外，沒做過其他的保養。

他微微皺眉，顯示他不是很喜歡這個答案。「那換個齒輪油會比較好。」

「呃……好。」她最不會拒絕人了，即使不確定身上的錢夠不夠，還是硬著頭皮同意。

他又起身從機油架上拿出一條像牙膏狀的東西，然後蹲到機車的另一邊忙碌。

藍琇希不敢一直盯著他瞧，只好將目光調到旁邊的兩個小學徒身上，假裝對他們拆骨架的工作很有興趣，其實心裡覺得噁心死了！原來機車剝去光鮮亮麗的外殼後，裸露出來黑抹抹的骨架，竟是如此的醜陋與怵目驚心。

田元豐換好齒輪油後，再度以雙手拇指按了一下輪胎，然後起身與她面對面。

「多少錢？」她以為可以走了。

他像是沒聽到她的話一樣。「車子的輪胎該換了。」她輪胎的胎痕幾乎磨平了，隨時都可能因為爆胎而滑倒，騎在路上不只她危險，連路人都很危險。

「嗄？」還換啊?!

「後輪的輪胎都沒胎痕了，這樣很危險，最好是換一下會比較好！前輪我剛剛看了一下，雖然沒有後輪嚴重，不過也好不到哪去，最好一起換掉會比較安全。」田元豐只是說出他檢查的結果，並沒有想太多其他的事。

夭壽喔！早知道就騎遠一點回市區換機油，沒想到～～沒想到多年來一直盤據心底、維持良好形象的暗戀對象，竟然是個開黑店的傢伙?!

以前常聽說到車行要小心，不管是轎車還是機車，很多技師都會仗著消費者不懂而故意要求換東換西的，無辜的消費者害怕真的發生意外，只好乖乖花大把鈔票買安心。

現在她真的相信多年前電視廣告中所流行的那句話——幻滅是成長的開始！

他根本就是開黑店、賺黑心錢的不肖商人！

「不用了，我身上的錢可能不夠，下次再找時間過來。」她會過來才有鬼。

「如果是錢的問題那還好，改天妳有空再拿過來就可以了，輪胎先換上比較安全。」錢的問題不是那麼重要，重要的是人的安全。

「我……」問題是她根本不想換啊！

幸好隔幾條巷子的劉伯伯騎著陪伴他快二十年的「速克達」出現，暫時替她解圍。

「年輕人，幫我看看我的車子，怎麼一直冒濃濃的白煙啊？這樣我不能騎到市區去咧！聽說那個什麼環保署的會抓，是真的嗎？」不管還有其他客人在場，劉老先生車還沒熄火就急著「告狀」。

「好，我們幫你看看，你先熄火。」再不熄火，他們都會被濃煙給嗆死。

劉老先生將車子熄火停好。

其實田元豐一看就知道他車子會冒白煙的問題點在哪了，只是他要先處理藍琇希的車子；是她先到店裡，當然要先處理她的。

他向一旁的小學徒使眼色，要他們處理劉伯伯的車，小學徒得令後馬上起身。

劉老先生一看到是派學徒處理，馬上將臉拉下。

「怎麼叫他們處理呢？看我老就想敷衍我是不是？年輕人～～不要這樣，整天只想服務年輕的小姐、追美眉，遇到我們這種德高望重的，就叫小學徒出來打發，這樣生意做不長久喔！」

年紀大的人通常都會有這種嚴重的大頭症，總認為花同樣的錢當然要讓老闆服務，而且他們年紀大、分量足，當然優先服務啊！這是身分問題。

「你誤會了，小姐先來，當然應該先處理小姐的車，我是怕劉伯伯你等太久才趕快請人幫你處理。」田元豐客客氣氣的。

因為覺得田元豐開黑店、賺黑心錢，所以藍琇希本來已經給田元豐一個巨大無比的叉叉了，現在看到他對劉老先生這麼客氣，又加回來一點點的好印象。

「這麼嚴重的問題，當然要你來處理比較好啊！」劉老先生堅持要用就用最好的，花相同的錢，當然要老闆親自服務才有面子。

真是一個老小孩呀！

「我看你先處理他的車吧！我改天再來。」太好了，她總算可以脫身了。

田元豐抬起手阻止她要離開的動作。「等等，我很快可以處理好，妳先到裡頭坐一會兒。」

「不，我要回家了，我媽等我回去吃飯。」這是真的，要是太晚回去，老媽肯定會追問到她跪地求饒！有時她稍微晚半個鐘頭回家，老媽就會唸她一頓，非要栽個「在外頭鬼混」的罪名給她不可。

為了省麻煩，她幾乎天天準時回家，若真遇到什麼逼不得已的狀況，也會先打電話回家報備，不過，通常她還是會儘量避免這種特例情況發生。

田元豐先將右手的食指與拇指放在下巴下，思索一會兒後才開口。「不然妳先回去吃飯，等一下車好了，我再讓阿邦把車送回妳家給妳。」

「送回我家?!」她的表情像被兩顆茶葉蛋砸到般驚恐。

「是啊！別擔心，我們不另外收費的，常常有客戶車子在半路壞掉也會打電話向我們求救，我們就會開貨車去把摩托車載回來檢查修理，當然這都是免運費的，就像很多免費的〇八〇〇汽車拖吊服務一樣。」田元豐以為她擔心的是錢的問題。

她真的沒有勇氣直接告訴他，其實是她自己不想換，只好很懦弱的小聲回答。「不用了，我在這裡等好了。」

若讓他送車回家，老媽不剝了她的皮才怪！

很奇怪，即使現在大家對田元豐的印象都改觀了，獨獨老媽還是看他不順眼，一下嫌他染燙頭髮，一下又嫌他機車店出入份子複雜，不然就是嫌他機車店吵，總之就是怎麼看他怎麼不順眼。

「嗯，那妳坐一下。」他自然地拍拍她的手臂，然後往劉老先生的車走去。

「劉伯伯，你的車子狀況分兩種，一個是未加機油或機油燃燒不完全所造成的煙，那種煙很臭；另一種的煙就是溫度不夠高所造成的，讓阿邦幫你騎出去繞一圈試看看……」

田元豐仍然客客氣氣，而藍琇希並沒有進到店裡面坐著，反而怔愣地盯著他出神。

怎麼會這樣？他只不過是隨手拍拍她的手臂而已，她卻因為這個小小的動作而僵立，感覺有股強大的電流讓心臟都麻痺了?!

看到阿邦把機車騎出去繞一圈試車後，田元豐同樣招呼劉伯伯進店裡坐，轉身才發現藍琇希仍然僵立在原地。

「怎麼不進去？站這麼久腳會痠吧？放心，車子在這裡不會掉啦！」這女孩還真有趣，片刻都離不開車子一步。

「還好。」她從小臉皮就薄，媽媽隨便罵個兩句就馬上羞愧的脹紅臉，現在被他這樣虧，腎上腺激素更是直線往上飆，還創下新高咧！感覺連眉毛都變得火紅。

本來還因為田元豐的「怠慢」而有些不爽的劉伯伯，因為車子已經插隊處理，所以也有心情聊天。

「妳住這附近嗎？」這裡的人就那麼幾個，幾乎所有的人他都有印象，怎麼他沒看過這丫頭？

「嗯，就住巷底。」她乖乖老實回答。

「巷底?!那不就是李香吟的女兒？」巷底有這個年紀女兒的人家，就只有李香吟家了。

難怪他沒見過，這丫頭被李香吟管得緊緊的，平常除了上班外，幾乎沒見過她出門。

「嗯。」

「女大十八變啊！小時候看妳小小黑黑的，長大變這麼標緻漂亮啦！難怪妳媽總說要管妳管嚴一點，就是怕妳在外面被騙。」他高調的讚美讓藍琇希感到羞窘，因為她知道自己永遠不可能和任何美的形容詞畫上等號。

田元豐只是微笑以對，在他眼裡，藍琇希是個很有特色的女孩，稱不上漂亮，也不是個會打扮的人，但是和她說話感覺不錯，應該說她是個樸實的女孩吧！

剩下的另一名小學徒，聽到劉伯伯誇張的讚美，直覺他是睜眼說瞎話，直想仰頭大笑，可是礙於老闆投來的犀利目光，所以只敢掩嘴偷笑。

劉伯伯沒發現他讓大家陷入尷尬的場面，還繼續說：「妳媽知道妳來這裡嗎？」

「嗄？」所有的人都不懂他問這話的意思，難不成修個摩托車也要報備嗎？

藍琇希搖搖頭。

「那妳可要小心了，妳媽最討厭這間機車店，每次和人家聊天都會說這小子的壞話，說他不學好、沒出息什麼的，以她那種潑辣個性，要是讓她知道妳到這裡來，肯定有妳好受的！」

劉伯伯只想到「好心提醒」藍琇希，卻忽略了這些話會傷到田元豐。

李香吟的潑辣性子在鄰里間可是非常有名，大家看她一個女人家要獨立拉拔兩個孩子很辛苦，所以都會讓著她一些，要是真的太過分，最多也就是不理她罷了。

這下子氣氛更尷尬了，但是劉伯伯好像沒感覺一樣，繼續發表高論。

「其實我們都覺得這小子不錯，雖然曾經忤逆田老，不過最後還是有回來孝順他，妳看田老後來不是逢人就誇這小子好？再怎麼壞不都是自己的兒子嘛！話說回來，這小子是真的變好，妳看他願意回到我們這裡開店就知道，收費實在，服務又快速，真不知道妳媽到底在想什麼？每次提到他都說得這麼難聽，田老要是地下有知，肯定會化成厲鬼替兒子報仇！」他愈說愈過分，連厲鬼都出現了。

「劉伯伯言重了，有批評就表示還有進步的空間，關於李媽媽的指教，我會謹記在心，家父已經前往極樂世界，想必一點也不想再插手人間的雜事。」

誰都聽得出這是場面話，因為李香吟喜歡批評人的習慣，連做女兒的藍琇希有時都受不了，而且田老是因為年歲已高，一日在睡夢中安詳過世的，相信極樂世界的美好讓他不會再想過問人世間的繁瑣事務。

「唷，你都不知道李香吟把你說得有多難聽！要是你爸還在，肯定拿著枴杖過去教訓她。」

他是故意的嗎？田元豐是當事人，而他口中潑辣的李香吟又是藍琇希的媽媽，在這樣奇妙的組合面前，他怎麼還可以這樣大聲又理直氣壯？

幸好阿邦剛好試車回來，化解田元豐想打人、藍琇希想棄車逃跑的念頭。

阿邦大約描述了一下車子的狀況後，就又一頭栽進解體車裡，反正這個劉老先生有大頭症，不讓他們這些「小學徒」處理他的車子，他們也樂得輕鬆。

田元豐以少於平常一半的時間將車子處理好，好讓劉伯伯趕快離開，免得待會兒他和藍琇希會控制不住，各拿一把大扳手K人。

劉伯伯走了，所有的人才真正鬆口氣，不過大家都沒想到要如何開口打破僵局，而田元豐身為老闆，當然就得負起這個責任。

「老人家都比較會碎碎唸，別太介意。」他自己不是很介意，因為父親在世時，他幾乎天天被唸，所以非常了解老年人怕不被重視的通病。

「嗯。」她能說什麼？雖然說的是老媽，但那些都是事實啊！所以她也沒什麼反駁的餘地。

田元豐自嘲笑道：「現在我終於知道，為什麼你們家的車子從沒到過店裡了。」也許是藍勝希有告訴媽媽被他揍的事，否則李香吟幹麼對他成見這麼深？他們甚至連話都不曾說過一句。

「嗯……不是……算了。」她本來急著要解釋之所以沒來給他修車的原因，是因為之前她並沒有車，後來則是因為「暗戀」的關係而不好意思過來。

至於弟弟不來的原因，肯定就是和曾經被他揍過有關了。

田元豐也沒打算追問下去。「我看我還是趕快把輪胎換一換，讓妳早點回去好了。」否則要是引起她媽媽誤會，可就不好了！他不想造成她的困擾。

「換輪胎?!」對喔，剛剛在這裡暫停喔！

「是啊，妳該不會忘了這件事吧？」真是個健忘的女孩。

「我、我……我不想換。」這是她所能鼓起最大勇氣說出的話。

這下田元豐和兩個學徒都同時盯上她，田元豐甚至把雙手環在胸前，神情嚴肅地問：「為什麼？」

車子輪胎都磨平了，一定要換！就算要免費送她也得換！他絕不可能眼睜睜看著客戶置身危險中，尤其是當這些問題都可以事先預防的時候。

要是有任何一個他的客戶，是因為車店的疏失而發生意外，他的良心絕對會遭到自己嚴厲的譴責。

「我……我錢不夠。」她承認自己是卒仔，只敢說這種爛理由，而不敢大聲說出真正的感覺——他開黑店！

田元豐原本攏聚成黃山般高的眉峰瞬間鬆垮。「剛剛有說過了，錢不是問題，車主的安全才是我們最在乎的。」

他原本以為她是因為李香吟的關係所以不敢在他這邊換，如果真是這個原因，他也不會勉強，還打算「親自」將她的車送到其他可靠的車店更換，既然只是單純錢不夠的問題，那就好辦多了。

這會兒他不再多說，直接讓車子傾倒在地，打算先換前輪。

藍琇希僵硬的盯著他的動作，心裡不斷吶喊著——不、不、不！

她不該向「惡勢力」低頭，應該要勇敢說「不」才對！

她真的以為自己只是在心裡說說而已，並不知道其實已經脫口而出——

「不！不要動我的車子，你這個開黑店的傢伙！」

原本還算吵雜的店突然安靜下來，只剩下音響內還搞不清楚狀況的周杰倫正在大唱「夜曲」呢！

四個人，八隻眼睛，再加一副藍琇希的眼鏡，互相凝視，不，是對峙的意味比較濃厚。

外。

「妳……剛剛說什麼？」田元豐不是生氣，而是想捧腹大笑。

這女人竟然說他開黑店?!

他回來開店這麼久，在鄰里間一直都維持不錯的口碑，當然除了李香吟以外。

他要是開黑店，那些重型車騎士何必百里迢迢的騎來這邊讓他維護？

「我……」她剛剛說了什麼?!

天啊！她剛剛說了什麼？說了什麼啊～～

就算她現在全身都脹成紫紅色也沒用，田元豐嚴肅的表情，加上兩名學徒擺出一副要好好教訓教訓她的模樣，讓她就算想逃也因為腿軟而逃不了。

「妳怎麼可以說我們老闆開黑店?!」阿邦第一個跳出來說話。「我們老闆為了要服務鄉里，常常都幫你們做白工，遇到貪小便宜的人也都兩眼全閉的不計較，妳卻說他開黑店?!還有沒有良心啊？」

「嘿呀！」另一個學徒也跳出來附和。「老闆，不要幫她換啦！讓她跌死算了，反正我們已經有提醒她就好了，她想死我們幹麼阻止？」

真是一個說得比一個毒。

「閉嘴！」田元豐根本懶得回頭理他們。

兩名小學徒馬上閉嘴，只有大膽的周杰倫非但不閉嘴，還繼續幸災樂禍地大唱「最後的戰役」。

「因為我建議妳換輪胎，所以妳就認為我開黑店是嗎？」他承認有些同行確實會做這種事，沒事就要人家換換煞車片、碼錶線、輪胎之類的東西。

「我……」對呀對呀！她是這麼想的沒錯，可卻說不出口。

「嗯，其實不能怪妳有這樣的想法，是許多車行把名聲搞爛，造成消費者普遍有這種想法，而我又沒說清楚，才會造成妳的誤會，是我不對在先。」田元豐輕聲解釋。

「嗚……哇～～」藍琇希突然放聲大哭。

砰砰砰——現場三個大男人陷入一陣手忙腳亂之中。

藍琇希真是恨死自己了！在暗戀的對象面前出這麼大的糗，教她以後怎麼做人啊？他一定會因為她這無知的舉動而瞧不起她啦！

而且她這樣誤解他，他還這麼輕聲細語的解釋，嗚嗚嗚～～教她如何不難過？

田元豐沒想到會是這樣的結局。

她竟然放聲大哭?!

這女孩未免也太可愛了吧？為了一點小事也可以哭成這樣，想不對她印象深刻都很難。

糟糕！得趕快想辦法讓她停止哭泣，萬一引起鄰居注意就完了，要是把李香吟給引來，後果將會更不堪設想……

第三章

藍琇希站在影印機前影印老闆交代的資料，腦子裡想的卻全都是昨天在機車店出糗的事。

經過她驚天動地的一哭以後，田元豐不但沒幫她換輪胎，連換機油的錢都不肯跟她收，最後還是她硬塞到他手裡。

想到昨天發生的糗事，不但讓她失眠，今早還不想出門，出了門也是神經兮兮的繞更遠的路，深怕被人指指點點，擔心全世界的人都知道她做出這麼丟臉的事。

發生這樣的事，肯定是一輩子只能把田元豐放在心底了，注定只能遠遠看著他；只要靠近他，所有的一切就都反常，讓她只有出糗的分。

「在想什麼？」一名工程師拿著記事用的筆記本輕敲一下她的肩膀。

公司內只有兩名工程師，他是其中一個，和另一名工程師負責跑外面，幫大大小小的客戶做配電或修繕工程。

「這個時間你怎麼還在公司？」藍琇希回神，疑惑地問道。

公司內老闆是董事長兼總經理，老闆娘是人事兼財務部長，除了兩個工程師外，就只有她是被聘的員工。

因為人少得可憐，公司算是好聽一點的說法，實際上只能說是一間小水電行，因為現在一般家庭很難找到肯到府服務的工人，所以老闆的訂單源源不斷，大到整棟樓的配電工程，小到幫一般住戶更換燈具，什麼工作都接，將客家人硬頸、刻苦耐勞的精神發揮得很徹底。

由於接的案子小又多，所以才會有他們三個員工的產生，兩個工程師每天忙得昏頭轉向，一家做過一家，難得這個時間還可以在公司看到他們。

「回來拿東西，剛剛被老闆叫進去訓話，現在要走了，看妳想男朋友想得出神，才拐過來問一下。」語氣中盡是揶揄。

藍琇希覺得身體的熱度又急速上升，極力澄清道：「哪有？不要亂說，而且我也沒有男朋友。」

「妳剛剛那樣子明明就是在想男人的模樣，一下笑，一下搖頭，一下又拍自己的頭，不是想男人是什麼？」這種事他可是過來人，平常工作時偶爾想起昨夜女朋友的好，他也會這樣，像個白癡一樣又笑又打自己。

不擅說謊的藍琇希無語，她剛剛確實是在想男人沒錯。

工程師當她默認。「這也沒什麼不好，年紀到了總要交男朋友，不過我看以妳這種老實的個性很難找到對象，要是不主動一點，妳會孤獨一輩子喔！」

他絕對不是危言聳聽，照理說公司就他們三個員工，在工作忙碌又未婚的情況下，至少應該要「順應時勢」由他或另一名工程師和她變成「一對」才對，可惜他們兩人都對藍琇希沒興趣。

除了他們都自認長得不錯，又有一技之長，條件算良好之外，最主要的原因在於藍琇希實在是太無趣了。

藍琇希每天準時上下班，從不遲到早退，偶爾老闆有事相求或突然大發慈悲想請他們吃飯時，她也從不參加，是個規矩的女孩。

而且她什麼都規矩——髮型規矩，及肩直髮黑到發亮，臉上戴著一副不出色的普通近視眼鏡，衣著也規矩，永遠是那兩、三套衣服在替換，雖然乾淨，卻給人毫無特色的感覺。

當然，在這樣小的一間公司上班不該這麼挑剔，所以他和另一名工程師只好努力的向外發展，公司內唯一的這朵圓仔花就留待有緣人吧！

「這是我的事吧？」即使對工程師的話感到生氣，她也說不出重話。

「我只是提醒妳而已，我們可不希望妳滯銷，要是能趕快把妳推銷出去，然後等妳因為結婚生子而辭職後，公司才會再找新的美眉進來啊！」看來這工程師的水準也不怎麼樣。

「我……」她知道自己是一個毫無反擊能力的笨蛋，他的話都只能照單全收。

「我花錢請你來聊天的嗎？東西準備好了就滾出去，不要利用上班時間把馬子！」身材矮小的老闆走過來賞工程師一記爆栗。

工程師撫撫頭，一句話也不敢吭，夾著筆記本趕快逃離現場，留下藍琇希獨自面對。

「資料好了沒？」對象是藍琇希，所以老闆的語氣變得比較和緩。

他和老闆娘都挺喜歡藍琇希，肯做事、不長舌，很多事交代給她都能如期做好，一個人當三個人用，就連有時他們沒空要她到學校幫忙接小孩也毫無怨言，最離譜的是上次小兒子的腳踏車太久沒騎，沾滿灰塵，老闆娘要她將腳踏車擦乾淨，她不但照做，而且事後也沒有抱怨，讓他們足足暗爽很久，慶幸花了小錢就請到一個全能的台勞，比外籍女傭還好用。

當然，他們也絕對不是完全這麼不人道，只有在特殊的情況下才會請她幫忙做一些私事，平常還是以公事為主。

「全都在這了。」藍琇希將手上的資料交給老闆。

他接過資料，順便向她抱怨道：「嗯，昨晚我有收一些支票回來，在老闆娘那裡，妳去找她拿到銀行入；自從沒了票據法後，芭樂票一堆，現在都不敢收票子，偏偏老客戶都愛開票，又不好開口要現金，真是傷腦筋。」

「嗯。」對於老闆的抱怨她不能說什麼，回應他的話可是老闆娘的專屬權利，他們這些做員工的只能聽不能說。

「對了，妳沒有男朋友吧？」老闆突然將話題轉到私人問題上。

「嗯。」輕應一聲算是回答。

老闆心裡打著如意算盤，愉快的做出彈指的動作。「那好，『士華』的張先生也沒有女朋友，乾脆把妳介紹給他，妳長得還算清秀，他應該會喜歡。」

「士華」是他才剛剛接到的一個客戶，雖然不是很大的公司，至少對他這間小水電行來說已經算是數一數二的大案子，如果能將藍琇希和裡面的「關鍵人物」湊成一對，相信他談起生意來會方便許多。

「可是……」問題是她不喜歡啊！

「就這樣說定了，我跟他說一聲，明天下班你們一起吃個飯認識認識。」老闆還真果斷。

藍琇希根本一點意願也沒有。「還是不要吧？我媽都會等我回家吃飯。」

連對方的面都沒見過，怎麼吃飯啊？如果對象是她暗戀的田元豐的話，也許她還會想辦法說服母親讓她晚回家一天，既然是一個連面都沒見過的陌生人，那就免啦！

「她總不能等妳一輩子吧？何況像張先生條件這麼好的男人可是很難得的，人家好歹也幹到士華的課長，家裡聽說有地、有祖產，要是能嫁給他的話，吃香喝辣絕對沒問題。」老闆說得口沫橫飛，簡直就像個拉客的三七仔。

那麼好你不會自己嫁啊？

藍琇希也只敢在心裡這樣ＯＳ，嘴巴根本不敢用這種態度及語氣對老闆說話。「還是介紹給別人好了，張先生這麼優秀，我自知肯定配不上他。」

「怎麼這麼消極呢？人要有鬥志，鬥志懂不懂？妳有沒有想過，妳媽這麼辛苦把妳拉拔到這麼大，還不就是希望看到妳有一個好歸宿？妳可以辜負她嗎？」老闆顯得有些咄咄逼人。

瞧他說得好像對方已經非她不娶一樣，他們可是連一次面都沒見過耶！

「妳如果真的這麼擔心，要不要我打電話給妳媽？老闆都出面了，她總不會不賣我這個面子吧？」為了延續生意，他可真是什麼方法都敢用啊！

藍琇希驚恐的抬起頭。「不用了，我今天回去跟她說就行了。」要是驚動到媽媽還得了？讓她知道老闆要介紹對象，肯定會和他連成一氣把她推入火坑，不，是推銷出去。

「嗯，明天一定要出席啊！張先生那邊我會搞定，記得穿漂亮點，稍微打扮一下。」老闆交代完就出門了。

整個辦公室只剩下藍琇希一個人守著，雖然有時挺無聊的，總好過老闆在旁邊碎碎唸。

吃飯的事，明天再想辦法推掉吧！

✽ ✽ ✽

又到了下班時間，藍琇希緩緩收拾桌面，準備下班。

她看起來懶懶的，因為她的內心正在掙扎著等一下要不要從機車店經過？

如果每天能看田元豐一眼她就心滿意足了，但是她不確定發生昨天那樣的事後，田元豐要是再見到她，會不會拿著扳手出來追打她？

在外頭工作的工程師都還沒回來，所以她沒將鐵捲門拉下，只是鎖上裡頭的玻璃門，鐵捲門留給最後離開公司的人鎖就行了。

摩托車才剛發動，早上虧她的工程師剛好開著小貨車回來，將頭探出車窗對她大聲吼：「下班了喔。」

他不得不這麼大聲，因為小貨車已經快要晉升古董級，引擎聲像戰車一樣吵雜，講話都得要用吼的才聽得到。

「嗯。」將車子牽出騎樓，她並不想和他多說什麼，早上不愉快的記憶還在呢！

「不是說沒男朋友，幹麼急著下班？」在外面累了一天，回到公司當然要找點樂子來娛樂自己，捉弄藍琇希是最快的方式。

藍琇希沒理他，逕自騎著摩托車離開。

她本來可以回他話的，但這一刻並不想，因為有更重要的事等著她去做——騎車經過元豐機車店。

平常三十到四十分鐘的車程，今天卻只花了二十分鐘就到機車店附近的路口，還不就為了偷瞄那麼一眼。

照例先將車子停在紅綠燈下，來個深呼吸穩定心緒，才能一鼓作氣衝過機車店，然後利用那短短的零點一秒偷瞄店內一眼，幸運點就能看到田元豐坐在店裡，而只要能看一眼，她就心滿意足啦！

做完最後一次深呼吸，確定周遭的空氣幾乎都要被她吸光後，她才鼓足勇氣、加足馬力，準備執行今天最神聖的任務。

原本她應該很順利的快速經過機車店，然後彎進巷子裡的，但是悲慘的事卻在瞬間發生──她硬生生在機車店門前滑倒，人還隨著機車滑行了一段不小的距離。

騎著又重又大的車子滑倒的姿勢有多難看不難想像，但最重要的是，她被車子壓在底下，無法自行爬起，只能等人來救援。

機車店內的兩名小學徒衝了出來，一個負責先將機車牽起，一個負責攙扶她。

「有沒有怎樣？」阿邦滿臉關心，他們一眼就認出是她，因為這附近就只有她騎這款車，雖然昨天不是很愉快，但對方遇到困難時還是會想幫忙。

藍琇希戴著全罩式安全帽搖頭，雖然兩腳膝蓋處傳來陣陣的痛楚與灼熱感，但是都比不過臉龐火辣到像要燒起來的熱度。

太丟臉了！竟然就在人家的店前滑倒?!早知道今天繞路回家就沒事了。

「妳的車爆胎嘍，我看先進店裡再看看。」另一名學徒將她的車牽回店裡。

藍琇希沒有拒絕，因為身形魁梧的學徒牽起車來都挺吃力，更何況是她，而且車子爆胎了也要修理。

她拒絕了阿邦的攙扶，一跛一跛的跟著他們回店裡。

「昨天我們老闆就跟妳說過要換輪胎了，妳就是不聽才會爆胎啦！幸好人沒怎樣，又剛好是在我們店門口，不然看妳上哪兒討救兵？」阿邦和另一名學徒一邊將她的車子放傾倒在地，嘴巴也抓緊機會唸個不停。

藍琇希無話可說，雖然她認為滑倒跟換輪胎是兩碼子事，會滑倒純粹是因為太緊張所致，不是輪胎的問題。

倒楣的是田元豐並不在店裡，也就是說她這次等於是賠了夫人又折兵，不但人沒瞄到，又跌破膝蓋，褲子也報銷了，最後還得付一筆修車費，真是背到最高點，今天特別背。

「妳看妳看，這輪胎都爛了，連補都不能補，難道妳轉彎的時候都沒感覺嗎？」阿邦的聲音宏亮，讓她瑟縮在一旁。

「感覺什麼？」轉彎就轉彎，還要感覺什麼？

兩名學徒一起翻白眼後，由阿邦代表說話。「輪子沒有抓地力啊！不會有車子好像要滑出去的感覺嗎？」

「沒有，不是已經直接滑倒了嗎？」都直接跌倒了還要怎樣？

田元豐騎著一台外殼被拆了一半的摩托車回來，看見他們三個人圍著藍琇希的摩托車指指點點，好奇地問：「怎麼了？什麼問題？」

「爆胎啦！」阿邦得意得很，因為藍琇希就是不聽他們的勸告才會摔車，正所謂不聽「專家」言，吃虧在眼前。

田元豐的出現讓藍琇希原本已經恢復的臉色再度火紅起來。

「人有沒有怎樣?」田元豐下車，關心的瞅著藍琇希。

要她控制這麼大一台車已經很吃力了，再遇上爆胎，能夠不受傷絕對是不幸中的大幸。

「沒有。」三人異口同聲。

「剛剛在店門前爆胎的，輪胎都爛掉了，不能補啦!」阿邦大略報告狀況。

田元豐接過另一名學徒手中的扳手。「我來，你們先去吃飯。」

經他這麼一說，藍琇希才注意到店內的辦公桌上擺著三個燒臘便當，其中兩個明顯看得出來是被吃到一半放著。

兩名學徒將工具放下，走進店裡，剩下的就交給老闆處理。通常老闆都會讓他們先吃飯，有客人他會負責處理。

田元豐戴上工作手套問:「有沒有想要換什麼牌子?」

「沒有。」這次她不敢再多表示意見，寧願任由他宰割，也不想再出醜。

「那就換公司貨吧！」

「嗯。」

除了店裡兩名學徒的聊天笑鬧聲外，就只剩下一些如電動馬達的器械聲音，他們兩人除了沈默還是沈默，彼此都沒再開口，直到田元豐將前後輪胎都換上新的。

「好了，妳等一下可以感覺看看，應該會和之前轉個彎就快要滑倒的感覺完全不一樣。」田元豐將工作手套拔除，放在身邊的工作架上。

「嗯，多少錢？」從這裡騎回家裡不過短短二十公尺，她要是能感覺出之間的差異，那她來當老闆娘就好啦！

「不用了，如果昨天我堅持幫妳換新的輪胎，今天妳就不會跌倒，所以我也有責任。」早知道昨天就堅持幫她換上新的。

昨天她都已經糗到爆了，現在他還這樣說，只會讓她更過意不去，覺得自己真是以小人之心去度他這個君子之腹。

「那怎麼行？昨天是我自己鐵齒不聽你的建議，跌倒算是老天爺給我的教訓，你若不收錢，萬一下次老天爺給我更嚴厲的懲罰怎麼辦？」

她當然相信有天譴這回事，更覺得如果佔別人便宜的話，一定會有現世報。

「哪那麼嚴重？不過是兩個輪胎罷了。」

這女孩真有趣，竟然會相信怪力亂神?!他可不信這些有的沒的。

「不行，你要是不收的話，以後我怎麼敢再到你店裡修車？」可能剛剛那一跌把她的膽子都跌碎了，所以她豁出去的和他大聲說話，而且還理直氣壯呢！

「隨妳吧！」他不想在這上面和她計較，免得沒完沒了下去。

其實他心裡已經盤算好，如果真要收錢，至少也會給她打對折；除了因為昨晚沒堅持而覺得有責任的原因外，他對她的印象實在很特別，因而私下決定給她折扣，畢竟她可是第一個在他店裡哭成那樣的顧客。

「多少錢？」嘴巴雖然這樣問，內心可像血液送不到心臟般的緊張，深怕身上僅有的五百塊不夠。

「四百。」他說出早已打算好的價錢。

「四百?!一個四百?!」她身上的錢果然不夠。

田元豐搖頭。「總共四百。」

「怎麼可能這麼便宜?」她雖外行，也絕不相信換兩個新輪胎只要四百元。

「我給妳換的是最便宜的。」這也是早就想好的理由。依據他的觀察，這女孩有客家女人勤儉持家的特質，不然昨天她應該會接受換輪胎的建議，而不是硬撐到爆胎跌倒才換。

「嗄?那……會不會再爆胎?」這麼便宜有沒有問題啊?她可不想再跌倒，很痛耶!

「不會，除非人為因素，比如被鐵釘或尖銳的東西刺到之類。」

「喔。」掏出身上僅有的五百元給他。

田元豐接過錢後，目光卻瞥到她的膝蓋。「咦?妳的膝蓋流血了。」連褲子的膝蓋處都磨破了。

「沒關係，回家再處理就好。」看到他都忘了腳會痛的事。

「不好吧？褲子都磨破一塊了，還是先消毒一下傷口會比較好。」田元豐往店裡頭走去。

他很快就提著一個急救箱及一張圓凳子出來。「女孩子不比男孩子，跌倒了用口水抹抹就行，得要小心照顧傷口，否則留下疤痕的話就不好了。」

也許他只是純粹義務關心一下，但也已經夠讓她感到窩心了。

他將圓凳放下。「先坐下，看看傷口嚴不嚴重。」

「嗯……我想我還是回去再處理就好了。」她怎麼可以在店門口坐下來給他看傷口？要是被鄰居看見怎麼辦？

「妳怕我會把妳弄痛？」田元豐質疑的挑眉。

店裡傳來兩名學徒毫不客氣的大笑聲，他們想到的可是另一方面的意思。

她羞窘得脹紅臉。「不不、不是，只是不想耽誤你吃飯。」那種外購的便當要是涼了很難吃耶！

「沒關係，習慣了。」乾脆直接把她按壓坐到椅子上。

阿邦他們吃飽飯，也擠到他們這邊來湊熱鬧。

「剛剛問妳有沒有怎樣還說沒有，不然我們就會先幫妳處理傷口了。」阿邦用袖子擦擦嘴。

「對啊！女生就該表現出嬌嬌弱弱的樣子，才會惹人疼愛啊！」另一名學徒跟著附和。

此時田元豐已經將她的直筒褲管輕柔的拉到膝蓋以上。

傷口因為表皮已經被磨掉一塊而呈現赤紅色，上頭還沾了些小砂礫。

藍琇希反射性的想縮回腳，不是因為痛，而是因為他正抓著她的腳，也就是說他們有了直接的碰觸，這是何等大事啊！

暗戀已久的對象就蹲在眼前，還幫自己上藥，她可以假裝他們已經是對恩愛的情侶，而他正溫柔的幫她上藥，看她的眼神還充滿寵溺，讓她感覺幸福到爆……可以嗎？她可以有這樣奢侈的幻想嗎？

「看起來很痛耶，這樣妳都能忍喔？」阿邦覺得牙根發軟。

田元豐抬頭瞅她一眼，眼中除了一點點的責怪，還有滿滿的自責與心疼。

嗯，是心疼沒錯，看到她膝上的傷讓他的心沒來由的抽痛，還泛起一股前所未有的酸疼。

他不敢多作遐想，只當作是因為覺得自己是害她跌倒的間接兇手，才會有這種莫名其妙的酸疼感。

「傷口要先消毒才行，可能會很痛，能忍嗎？」語氣格外低調輕柔，飽含滿滿的柔情卻不自覺。

「嗯。」她羞澀的輕輕點頭。

幹麼啊！表現得好像兩人是要上床獻出彼此的第一次一樣！

兩個學徒在一旁猛翻白眼，再這樣下去，很快他們就有口吐白沫的機會。

被消毒的傷口雖然很痛，心裡卻是甜到不行，現在她覺得跌倒也不全然是件倒楣的事。

小心翼翼處理好傷口後，田元豐拿出消毒紗布準備包紮傷口，藍琇希卻在此刻發問：「你打算怎樣包紮？」

她剛剛靈光乍現，想到一個不錯的方法，一定可以順利拒絕明天老闆所安排好的飯局。

她的問題讓田元豐感到意外與不解。

不就是敷上紗布，用透氣膠帶貼上嗎？

他還沒想到要如何回答時，藍琇希已搶先一步要求道：「可不可以包大包一點？」

「啥？」三個男人六隻眼全盯著她看。

她差點因為他們直視的眼神而硬生生將話全部吞回肚裡，不過為了「未來」著想，還是要鼓足勇氣才行。

「我希望你能幫我包大包一點，用整捆紗布都行，我可以付你錢。」

「為什麼？」紗布一捆沒多少錢好不好？問題是她包這麼大包要幹麼？又不是包大包一點就可以領保險金。

「我有我的理由。」她才不會讓他知道她是要逃避相親飯局的事咧！她可不想被貼上什麼死會的標籤，尤其是在他面前，她希望自己隨時都是保持「單身」的形象，只要他也一直單身，那她就有一滴滴的希望。

「該不會這麼快就學會了吧？」阿邦插嘴道。

「學會什麼？」這是其他人都想問的問題，由另一名學徒搶先開口。

「嬌嬌弱弱啊！包大包一點看起來比較嚴重，可以博得不少同情票啊！搞不好她是因為明天不想去上班也說不定。」

「別亂說。」即使覺得阿邦說的很有可能，田元豐還是制止他。

藍琇希沒有反駁，只是苦笑面對，至少阿邦猜對了一半。

最後，田元豐還是照她的意思包紮，還要阿邦到藥局多買一捆紗布回來呢！

第四章

藍琇希真是愈來愈痛恨自己這種只敢躲在遠處紅綠燈下偷看的鬼祟行為，好像犯了毒癮一樣，非得偷瞄到田元豐那麼一眼才肯回家。

她已經這樣偷窺他好幾天了，始終找不到什麼合理的理由去找他，甚至每天都希望機車出點小毛病，好讓她可以光明正大的到機車店繞繞。

有時假日會看到一堆裝備齊全、騎著重型機車的人和他一起出遊時，還會三八的幻想自己坐在他的後座，輕摟著他的腰，隨著車子的前進，徐徐微風吹過髮梢，真是太愜意了！

但這都只是她單方面的幻想，依目前的情況來看，根本不可能實現。

今天下班前終於讓她想到一個好理由！這都要感謝那個嘴巴很毒的工程師，是他發現她的摩托車換了新輪胎，問她價錢後，直說不可能這麼便宜，還乾脆要她介紹給他，他也想去那邊換。

因此她才會開始懷疑田元豐故意算她這麼便宜，也終於讓她可以以還錢作為藉口，再度到機車店裡嘍！

按照慣例，她仍是先深呼吸到周遭空氣都快稀薄了以後，才輕催油門往機車店前進。

阿邦剛好提著三個便當和她同時進店裡，先將便當拿進去放在桌上再走出來。「藍小姐喔！今天有什麼問題？」

「老闆在嗎？」這種可以明目張膽找人的滋味真棒。

「在裡面吧！找他幹麼？如果車子有問題我可以幫妳處理。」怎麼大家都喜歡找老闆？他的技術也不錯啊！

「不是車子的問題，我是來還錢的。」

「喔，那我就沒辦法了。」他聳聳肩膀。

另一名學徒小羅從店旁邊的小倉庫走出來，往店外的水龍頭走去，準備洗手吃飯，沒注意到藍琇希也在，一逕對著阿邦問：「便當買了沒？」

「買啦！在裡面，多加兩包飯的是你的，這麼會吃，跟飯桶一樣。」阿邦忍不住虧他。

「這表示我認真工作啊！哪像你從十點上班摸魚到七點下班，嗯？藍小姐喔，妳怎麼會在這？」他終於注意到藍琇希了。

「要找老闆的啦！」阿邦搶著回答。

「喔，他在裡面，要不要我去叫他？」田元豐正在裡頭另闢的工作室內修理一台從台北送來的重型機車。

「當然要啊！不然要小姐在這裡等到天亮喔？」阿邦再度搶話。

他們都很清楚，老闆一碰到重型機車後就會忘了時間，窩在工作室裡一頭鑽進去，上次還因此而店門大開到凌晨兩點多，沒被搶還真是奇蹟。

「喔。」小羅乖乖往裡頭走。

不一會兒，田元豐就隨著小羅走出來了。

幸好小羅很聰明，知道要堅持等到田元豐起身跟他一起出來，否則藍琇希肯定是要等到天荒地老。

看到她，田元豐脫下工作手套，態度友善的招呼她。「好久不見，車子有什麼問題？」

其實並沒有很久不見吧？不過一個多禮拜而已，而且雖然沒面對面見面，可是他幾乎天天看著她經過店門口——這是他最近所養成的習慣，總要看見她經過店門口回家才會感到放心。

「車子沒問題，我是來還你錢的。」

「我?!」田元豐先指著自己，然後左顧右盼地看著另外兩個學徒。

藍琇希重重點頭。「嗯。」

「我不記得有借妳錢啊？」真是活見鬼了！他怎麼連自己什麼時候借她錢都不知道？

「是上次換輪胎的錢，你故意少收對不對？我對輪胎的價錢一點概念也沒有，是今天我同事問我價錢後直說不可能，我才想說應該是你故意少收，所以才過來把差額補給你。」

田元豐扒扒頭髮。「是我主動給妳特別折扣沒錯，但既然是我『主動』給的，那就沒有欠不欠的問題，因為是我歡喜甘願這樣做的。」

兩個學徒一看她是為了輪胎錢而來，沒什麼好戲可看，乾脆和他們打聲招呼後就先進到店裡吃飯去了。

「這樣不好，我不喜歡欠人家，尤其不喜歡欠人情。」不是有人說人情債最難還嗎？

田元豐微笑道：「妳說得太嚴重了，這也不是什麼人情不人情，純粹是我認為妳跌倒是因為當初我沒有堅持的關係，我認為我也有責任，要是妳真的要算這麼清楚的話，那我不就還得賠妳醫藥費及精神賠償？」

「我……」她明明就覺得他的話聽起來怪怪的，好像不是很合理，卻又無法反駁他。

「所以不要再提錢的事，如果妳同事又問起的話，妳就告訴他是因為我們關係特殊，才給妳這麼優惠的價格，其他人都是按照定價計費。」

說者無心，聽者有意。藍琇希腦中不斷重複「我們關係特殊」這句話，她真希望他們的關係真的能夠很「特殊」啊！

田元豐似乎也發現突然說出這種話好像不太恰當，擔心會嚇到她，趕緊亡羊補牢一番。「嗯……我是說我們是多年的鄰居及多年的校友，妳別誤會。」

「喔，我知道。」語氣中盡是滿到爆開來的失望。

田元豐將雙手在大腿前側的牛仔褲上用力搓兩下，想辦法要化解尷尬。

他對藍琇希的印象很好，一點也不排斥能夠和她有更進一步的認識，只是不知道她的意思如何，所以不敢貿然行動。

藍琇希不安的扭著手指。在這個時候，發言權應該在他那邊，她只能默默等他開口。

田元豐終於想到要用什麼話題化解尷尬了。「吃過沒？要不要一起吃便當？」店裡就只有三個大男人，每天除了便當還是便當。

藍琇希搖頭。「下班直接過來的。」

她感到周遭的空氣愈來愈稀薄，努力催眠自己這絕對和他的出現以及殺死人不償命的笑容無關，肯定是因為天氣冷的關係。

「嗯，那進來一起吃飯，不過我們只有便當喔。」田元豐走到水龍頭底下洗手，既然都出來了，就先吃飯再說。

談到吃，感覺心情輕鬆不少。

「可是……」

「我知道，妳要說媽媽在等妳回家吃飯對不對？」上次她就是用這個理由不換輪胎的。

藍琇希羞窘的輕點頭。

她本來確實「應該」要這樣說才對，不過後來又改變主意，因為能和他一起吃飯的機會實在很誘人，才正想厚著臉皮答應他，結果被他這樣一說，已經到嘴邊的話又馬上縮回去。

「一天晚一點回家應該還好吧？妳媽真管得這麼嚴？」

「還好，不然我先打個電話回去跟她說今天晚一點回去。」幸好他沒放棄，還是趕快先表明心意，免得待會兒他放棄遊說，那她又得乖乖回家了。

「好。」看得出來她答應要留下來吃便當的事讓他很愉快。

藍琇希拿著手機走到店門外幾步遠的地方，確定他聽不到她講電話後才撥電話回家。

為了能和他一起吃便當，即使被媽媽罵到臭頭也值得。

田元豐轉身向坐在辦公桌前已經嗑掉大半個便當的阿邦招手，交代他再去買一個便當。

藍琇希講完電話回到店裡時，阿邦也將便當買回來了，這讓她感到非常不好意思，因為還讓人家特地跑一趟。

「不好意思，讓你這麼麻煩。」

阿邦擺擺手。「沒關係啦！反正就在隔壁而已，而且是老闆出錢。只不過我們老闆還真小氣，竟然請妳吃便當而已？至少也到什麼咖啡廳才對，用七十元就想追到女生?!唉……我看他注定要單身一輩子啦！」他想到什麼就說什麼。

老闆從沒請人家留下來一起吃飯過，尤其對方還是女生，所以他覺得老闆的動機很可疑，依據他的猜測，肯定是想追人家嘍！

藍琇希飯還沒吃到，就先被人家賞一顆紅通通的大蘋果當飯後水果，整個臉龐佈滿紅潮，連眼白都紅了呢！

「不要在那邊胡說八道，等一下把小姐嚇哭。」田元豐把阿邦推入店內，制止他繼續說下去，藍琇希的哭功他可是紮實的領教過啊！

阿邦笑著走回店裡，拿起吃到一半的便當繼續努力。

「外面風大，我們進去裡面吃。」田元豐提著阿邦新買回來的便當，領著她往裡頭移動。

阿邦和小羅趕緊讓出位子給他們，改坐到堆在一旁的輪胎上，他們可不想錯過這場老闆把馬子的好戲。

田元豐將自己的辦公椅讓給她坐，自己則坐圓板凳。

剛開始兩人只是默默吃著便當，「ㄍㄧㄥ」到不行，後來因為阿邦覺得悶到極點而開始搞笑扮起小丑，讓僵硬的氣氛趨於和緩。

也不知是誰起的頭，突然變成大家輪流講讀書時一些有趣的事，阿邦和小羅輪流說著他們在學校和訓導主任大玩躲貓貓的往事。

也不是說他們的事蹟不精采，只是藍琇希更想聽的是田元豐的故事，只要和他有關的所有事情她都想知道。

開玩笑，苗中的風雲人物耶！多少女同學心儀的白馬王子，她何其有幸可以和他做鄰居、還可以天天偷瞄到他，甚至可以讓他為她修理摩托車！光這些就讓她覺得幸福到滿，更別說和他坐在一起吃便當、談往事了，這可是比跟超級偶像明星一起吃飯還令她高興呀！

真希望有朝一日他能成為她專屬的王子，嗯……既然他開機車店，那就做她專屬的機車王子嘍！

「老闆，聽說你以前高中時也是號響噹噹的人物是嗎？」阿邦終於願意把發言權交出來了。

田元豐笑笑地說：「都是過去式了，求學時代哪個學生不會瘋狂一下？人不輕狂枉少年啊！」

「哇靠！老闆說成語耶，多讀三年書果然有差。」阿邦悻悻然道。

他和小羅能混到國中畢業，就已經是佛祖保佑了。

「他在我們學校真的很出名，幾乎每個人都認識他，不但功課好，而且還是排球社和籃球社的社長，能夠同時兼任兩個社團的社長，他算是第一個人。」藍琇希語氣中盡是崇拜。

「真的假的？老闆從不跟我們說這個耶！原來老闆和我們不是同一掛的喔。」阿邦放大音量。

他和小羅都覺得很驚訝！他們一直以為田元豐和他們一樣，是因為不喜歡讀書逼不得已才來學修理機車，好當作一技之長，並不知道原來他是個品學兼優的好學生，跟他們根本不是同一掛的。

藍琇希因為自己一時衝動脫口說出這些話感到後悔，只好低著頭努力扒飯。

「沒那麼誇張，只是剛好喜歡運動，其他人又都有升學壓力，只有我沒有，所以我就撿起來當啦！」田元豐說得很謙虛。

「哪是！不管是籃球隊還是排球隊，只要代表學校出去比賽就會得名，而且從沒拿過亞軍以下，校長每次提到他總是笑咪咪，他可是我們苗中之光耶！」藍琇希又忍不住跳出來為他辯解。

「完全無法想像。」阿邦和小羅完全無法體會她所說的那種景象。

她不能忍受他們這種質疑的態度，早忘了身分與地點，拉著田元豐的衣袖左右搖晃。「你快跟他們說呀！」

「說什麼？」田元豐不知道她要他說什麼？

「說你在苗中時有多厲害，校長、老師看到你都笑咪咪的誇讚你是個好學生，男同學都把你當成模仿的對象，每一個女同學都希望和你做朋友，你是全校女生的白馬王子啊！你讀高三時，情人節還收到一百多份的巧克力對不對？還有啊……」

看來她對於他的「英勇事蹟」比他本人還要清楚多了。

阿邦和小羅嘴巴微張地聽她說這些他們完全沒聽過的事，田元豐將雙手環抱在胸前，帶著濃濃的笑意聽她說。

他之所以笑並不是因為驕傲得意，而是因為她對他所有的事都很清楚。

能夠知道這麼多又這麼清楚，肯定是要費上一番功夫才行！看來，他遇到一個他的超級大粉絲了。

「……當時你說畢業後不繼續升學，多少人為你掉淚啊！女老師、學姊、學妹，大家哭得死去活來的，每個人都替你擔心。」藍琇希平常真的沒有這麼聒噪的說。

「藍小姐。」阿邦輕喚她，大家都將目光焦點移到他身上。

「嗯。」

「聽妳這樣說，妳對我們老闆非常了解嘛！妳在暗戀他厚？」阿邦表情語氣都曖昧。

此刻就像有戰鬥機從她耳邊飛過，讓她什麼都聽不到，只剩下吵雜的嗡嗡聲，腦筋也一片空白。

「對啊！我們跟著老闆工作這麼久，連他品學兼優都不知道，妳還知道他收到一百多份的巧克力，當年妳該不會也送了一份給他吧？」小羅跟著敲邊鼓。

「沒有！」這個她倒是否認得很快，因為她真的沒有，當時她只知道情人節要送巧克力，而且一直以為是男生要送女生，是事後聽同學講才知道原來情人節要由女生送巧克力給心儀的男生才對。

「那妳有沒有暗戀我們老闆？」阿邦問的問題都很直接。

她無法當著這麼多人的面回答這個問題，尤其當事人也在場……

其實她根本不用回答，他們就已經從她瞬間變得火紅的雙頰得到答案。

知道她的心意讓田元豐很開心，讀書時是有很多女生喜歡追著他跑，只不過當時他對交女朋友的事沒興趣，所以求學時的戀愛經驗等於零。畢業到台中發展後，曾經有過一段短暫的戀情，只維持不到一年就結束，後來對於這種吃不飽、穿不暖的虛幻戀愛就不是那麼積極。

也許是年紀到了，所以最近他開始渴望愛情，尤其是藍琇希出現後，想談場戀愛的感覺愈來愈強烈，甚至於幾乎每天到了下班時間都要先看到她從店門前經過後，才願意做其他的事。

連他自己都無法解釋為何是她！想追求她的感覺不但沒有逐漸減緩，反而與日俱增，心中老想著要見她。

唯一可以解釋的是，至少和她說話時感覺很舒服，是個讓人感到安心的女孩，雖然他們第一次見面時場面有點「難看」，但是這並不影響他對她的好感。

經過一次戀愛經驗的洗禮，他知道現在自己喜歡的是像她這樣直率純樸的女孩。

其實讀書時就對她有印象了，不過是因為藍勝希的關係。他知道他有一個很沈靜的姊姊，在學校偶爾也會遇見她，當時對她並沒有什麼特別的感覺與反應，和現在看到她會全身冒冷汗、想盡辦法想和她多說說話，或者讓她多留一會兒的做法簡直有著天壤之別。

既然已經知道她對他的印象似乎不錯，那就不必跟她客氣，直接表明心意

——

他對著阿邦說：「別為難人家，就算我們真的要交往也是我們的事，不需要你們來管。」

「喔～～喔～～」阿邦和小羅同時發出狼嗥聲。

「老闆，你至少也要跟人家告白一下才對，這樣隨便說兩句就想追到人家，很沒誠意喔！」阿邦果然有話直說。

阿邦的話讓藍琇希是既高興又羞窘，既期待又怕受傷害。

「是啊！我們賺的錢比你少，都還知道要去美美的地方耍一下浪漫，你卻請人家在店裡吃便當?!平常對我們都沒這麼摳門的咧！」小羅也加入戰局。

這下連田元豐都忍不住脹紅臉，被兩個小學徒這樣一搭一唱的虧，畢竟還是頭一遭。

「我看我先回去好了。」她沒想過只是留下來吃個便當，也可以讓事情變得這麼複雜，其實最怕的還是聽到他的答案，她沒有勇氣面對。

「這怎麼可以！我們老闆都還沒向妳告白，妳怎麼可以離開？要是不抓緊這次機會，難道妳打算還是天天躲在遠遠的地方偷看他啊？」這個阿邦真的是語不驚人死不休。

藍琇希不只全身紅透透，還寒毛豎起、冷汗直流。

她以為沒人知道她天天偷看田元豐的事，現在阿邦當著大家的面說出來，真是讓她無地自容，直想找根繩子往脖子這麼一勒咧！

「喂，你說得太多了啦！人家是嬌滴滴的小姐，你要給人家留點面子才對，等一下把人家弄哭你就完蛋了，老闆肯定不會放過你。」小羅連忙小聲的制止阿邦，這事他們心裡知道就好，不應該說出來才對。

阿邦聽話的緊急閉上嘴巴，他也很怕她真的又哭了，那他鐵定會被老闆扒掉一層皮。

白癡都看得出來老闆對藍琇希比較特別，而且特別友善，其他女生過來修車時都沒見他這麼熱絡，不但親自換輪胎，還幫她上藥?!瞧他上藥時那副心疼的模樣，說對人家沒意思那才有鬼咧！

更何況他們好幾次都抓到老闆盯著藍琇希經過的背影發愣呢！

他們根本就是互相看對眼，卻又不知在害羞什麼?都那麼大的人了，還搞小孩子的玩意——「蠢蠢」的愛，讓他不只笑掉門牙，差點全部的牙齒都要掉光嘍！

「他們平常就是這樣沒大沒小的，妳別介意。」田元豐解釋著。

阿邦的話他當然聽到了，也暗爽在心底，幸好不是只有他單方面有意願。

他並沒有將內心的快樂表現出來，因為他認為要留點空間給藍琇希，要是把她逼急了，因而造成反效果的話，對他們可一點好處也沒有。

「嗯，那我先走了。」她連抬頭的勇氣都沒有，只敢盯著自己的腳尖看。

「等一下。」他不能讓她就這樣離開。

藍琇希只是抬頭瞥他一眼後，就又連忙低頭思故鄉。

「他們說得對，我不該這麼寒酸的只請妳吃便當，應該要請妳喝咖啡比較正式，下次改進。」這話的意思夠明顯了吧？

阿邦和小羅在旁邊竊竊私語，現在是關鍵時刻，他們可不敢亂插嘴，以免待會兒被踢滾出去。

「所以……你的意思是？」藍琇希眼眶帶淚，真想大聲高喊「我出運啦」！

田元豐的戀愛經驗畢竟也是很貧乏，所以說不出我喜歡妳或要求開始交往之類的話，只是淡淡地說：「這個星期六有車隊邀我參加他們的活動，是到復興鄉的龍珠灣，可不可以和我一起參加？」

藍琇希沒想過白日夢也會成真！

她真的可以坐在他帥帥的摩托車後座上，輕摟他的腰嗎？

「哇靠，老闆來真的喔！」阿邦用力拍著小羅的肩膀。

小羅用力點頭，以羨慕的口吻說：「對啊，我們老闆的車從來不載人的，連我們都沒坐過耶！」

「哼啊！而且老闆開店這麼久，都沒交過女朋友，也沒載過女生，之前有女生想透過車友介紹和老闆進一步交往，也被拒絕了呢！」阿邦順便幫他掛保證。

「說夠了沒？話都讓你們說完了。」田元豐佯裝生氣的斥責兩個學徒，其實心裡可是緊張到不行，很擔心被拒絕。「星期六可以嗎？」

就算擔心被拒絕，也還是要聽答案。

「嗯，應該可以。」是一定可以好不好？就算不可以也要想辦法變成可以，即使要和媽媽抗戰都在所不惜。

「太好了，等確定好時間我再通知妳，那妳要不要給我聯絡電話？」這真是個要電話的好方法。

「喔。」

藍琇希乖乖的將電話留給他，順便也記下他店裡的電話及手機號碼。

「那我先回去了，再聯絡。」

就算想再多留一會兒也沒有勇氣，對她來說，一下子發生這麼多的「好事」，讓她有些承受不住，還是先逃離現場冷靜一下。

「嗯。」田元豐也沒再留她，他也同樣需要冷靜啊！

第五章

今天是藍琇希長這麼大以來最高興的一天。

此刻她正坐在田元豐又大又穩的重型哈雷機車上，還因為車型的關係，讓她「至少」得要輕攬他的腰才行，如果遇到什麼緊急狀況時，當然就要緊緊摟住啦！

「假日時我們通常會找一個定點，然後沿著三號省道騎到目的地。」田元豐掀開安全帽護罩向她解釋著。

「為什麼是三號？」她從沒走過三號省道，所以覺得很有趣。

「因為它寬敞，車輛、紅綠燈都比較少，而且有些路段有一定的彎度及坡度，很適合重型機車挑戰，以後要是高速公路開放重機上去的話就更好了。」

「喔，除了我們這個車隊，好像還有很多其他的車隊和我們同路耶！」從出發到現在，她至少看到兩隊以上的重型機車隊。

「嗯，就像有上ＫＴＶ必點的國民歌一樣，這條路也是所有重機騎士必走的路段，至少都要騎過一次才行，所以只要到了假日，這條路上幾乎都是重型機車的天下。」田元豐先大略為她解說。

從苗栗出發到桃園的復興鄉其實並不遠，但因為算是郊遊的關係，所以車隊沿路會走走停停，首先他們就先在第一站——峨眉湖停下來休息。

為首的隊長將車先停在一攤行動咖啡車前面，看來是打算喝杯咖啡提提神。

「好漂亮。」藍琇希摘下安全帽，面對峨眉湖真心讚嘆。

「這裡以前未經開發時比較原始，只有一些釣客和買茶的客人會來，現在各縣市都大力發展觀光，這裡當然就被當成重點區域。妳看，還可以騎腳踏車環湖呢！」他指著不遠處一對正努力踩著協力車的母子。

看得出藍琇希很羨慕，她從沒出過遠門，也從沒和母親這麼親密過。

田元豐才停好車，隊長就吆喝他們一起入座。

每次田元豐都是獨自參加活動，這次不但攜伴參加，而且還是個女伴，大家會好奇也是正常。

「不介紹一下你女朋友？」隊長將 MENU 遞給他。

田元豐微笑不答，將 MENU 遞給藍琇希。

他和他們還沒熟到可以聊很私人的事，話題多半是繞著車子打轉。

田元豐不想說，大家就不會繼續追問，畢竟他們是因為愛好車子才聚在一起，不是為了談論八卦，如果他不想說就算了，沒有再追問的必要。

在峨眉湖稍作休息後，隊長向大家收取剛剛他先統一結帳的咖啡錢，雖然他們是一起出遊，不過所有的費用都是各付各的。

田元豐先幫藍琇希戴好安全帽後坐上車，並在戴上安全帽之前開口喚住隊長。

隊長朝他們的車走來。「什麼事？」

「今天我們不跟你們走了，改天再約吧！」剛剛跨上車時，他臨時決定改變主意，不跟大家到龍珠灣了。

「什麼?!」隊長揚高語調盯著他。

藍琇希比隊長更驚訝，她剛剛和他聊天時有說錯什麼嗎？不然他怎麼會在這裡就想打道回府送她回家?!

這裡不過還在苗栗和新竹的邊界耶！未免太快也太早了吧？

她只能透過安全帽的鏡片盯著他的後腦勺。

「臨時有事，不跟你們走了，改天再約。」還真是簡單扼要。

隊長瞥一眼坐在後座的藍琇希，只能靠自己猜測是因為她的關係。「好吧！路上小心。」拍拍他的肩膀，轉身回到自己的車上。

田元豐和藍琇希就坐在摩托車上目送他們離開。

等他們走遠後，藍琇希才開口，嗓音沙啞地問：「你要送我回家了是嗎？」

她的心在哭泣，才出來不到半天的時間就要被送回家，除了感到丟臉外，也為這段還沒開始就要結束的戀情哀悼。

「怎麼這樣說？」田元豐側轉過身看她。

幸好她挺堅強的，沒有眼淚、鼻水齊流。

「你不是說不跟他們一起走？」

「那也沒說要送妳回家啊！」他忍不住笑道。

即使她戴著安全帽，他還是可以看出她失望的模樣，而且是非常失望。

「那不然咧？」如果不是送她回家，又為何要脫隊？

「我想今天我們就在這附近逛逛，等附近的景點都玩遍了，再往遠一點的地方去。妳別看這車大，騎長途還是會很累，尤其後座的設計通常都沒有前面來得舒服。」

他確實是臨時改變主意的，剛剛喝咖啡時和她大概聊了一下，才知道她沒出過遠門，最多只參加過學校的公民活動，所以才臨時決定帶她到附近看看。如果一開始就去遠的地方，不但可能因為都在趕路而不能好好的玩，而且到時她一定會恨死他，竟讓她的俏臀飽受長途奔波之苦。

對於他體貼的安排，一股暖意直達藍琇希心底，也化解了剛剛他不願向大家介紹她的質疑。

沒錯，交不交往是他們的事，沒理由人家隨口問問就得給對方回應。

她好像愈來愈了解他，也愈來愈能融入他的思考模式。

「想不想騎腳踏車？」他打斷她的冥想。

「想！」完全不用考慮的大聲回答，即使她根本不會騎腳踏車。

管他的，先答應再說，反正凡事有他罩著，她可放心的咧！

※　※　※

結束一天的行程，田元豐載藍琇希回到公司附近牽她的摩托車。

為了今天能夠出門，藍琇希對母親撒了一點小謊，謊稱要到公司加班，實際上卻是和田元豐約會。

她也知道撒謊是不對的行為，但是以母親平常如此討厭田元豐的情況來看，此時實在不宜讓母親知道他們有來往。

由於她從沒向母親撒過謊，所以即使她說得很心虛，聲音也抖到不行，母親也沒有懷疑她。

雖然媽媽沒有懷疑，但她還是決定以後絕對會實話實說！除了認為不應該說謊外，這樣對田元豐也比較公平，他沒做錯事，不須陪她這樣躲躲藏藏的，偷偷摸摸的感覺很不好。

「謝謝，今天很開心。」藍琇希下車將安全帽摘下交給他。

田元豐接過帽子，掛到後座側邊。「下禮拜要不要一起到新社看看？」順便提出邀約。

他也覺得今天的氣氛和感覺都很好，先在峨眉湖一起騎協力車環湖，又帶她到附近一家名為「巴巴坑道」的特色咖啡店用餐，然後下午載著她到北埔老街逛逛，隨著互動愈來愈頻繁，兩人從一開始各走各的，到最後要回家時已經能手牽著手開心聊天，這樣的進展速度對他們來說，已經算是非常神速了。

「好啊！」藍琇希根本毫不考慮就答應。

「那走吧，我會跟在妳後頭陪妳。」他打算跟在她車後回去。

他一直認為藍勝希這台摩托車既重又大，根本不適合她，今天談到這個話題時，他曾經建議她換台小一點的車，不過聽她的語氣似乎有困難，困難點好像是在她媽媽身上。

「嗯。」她戴上安全帽，發動車子。

這一路回去心裡都是暖洋洋的，今天的一切真是太美好了，唯一美中不足的地方就是早上向媽媽撒了謊，下次肯定要老實告訴媽媽是要出去玩。

他們一前一後各自騎車，到了摩托車店門口時，只稍作停留互道再見就回家了。

她才剛將車停好，李香吟已經插著腰站在門口「迎接」她。

「什麼事可以加班到這麼晚？」她的表情、語氣與動作都充斥著不信任的態度。

「嗯……」她不擅說謊，所以臨時也想不出什麼理由。

「老闆有沒有說今天上班要給兩倍的薪水？」懷疑歸懷疑，她還是有信心藍琇希絕對沒那個膽子敢在她面前玩花樣。

「嗯。」胡亂點頭回答。

「那還差不多，妳老闆不錯嘛，公司小歸小，還是有依照勞基法的規定執行。」

別看她年紀大，也沒在一般公司待過，對於一些關於薪資及勞工權益的事，她可是會想辦法先打聽清楚，免得一對兒女淨幫人家做白工。

「嗯。」她心裡已經打算好要從只有一點點存款的戶頭中，提領「加班費」出來給媽媽了。

打從開始工作後，她就將薪水全部交給媽媽，每個月僅拿五千塊的生活費，扣掉交通費及吃飯等開銷後，每個月大概還可以存兩千五左右，算是非常節儉。

現在她必須要拿出一千五百元給媽媽才行，說謊絕對要付出代價。

「進來吃飯，妳弟今天難得回來，本來想說出來看看，妳要是還沒回來就不等妳了，可不能為了妳就讓勝希吃冷菜冷飯。」李香吟一邊往裡頭走一邊說。

藍琇希聳聳肩，隨著她進屋裡。

幸好弟弟回來了，所以媽媽心情好，才沒有對她追根究柢；也幸好她早一分鐘到家，否則讓媽媽站出門外，看到她和田元豐在摩托車店前「道別」的話，會發生什麼樣的後果？她不敢想也不能想。

※ ※ ※

「老闆娘，找五十塊。」阿邦拿著兩百元紙鈔走進店裡，玩笑地對坐在辦公桌前的藍琇希說道。

經過幾次出遊，藍琇希表現得愈來愈大方，有空就會到摩托車店報到，和田元豐儼然已經是一對戀人，每次只要藍琇希出現在店裡，小羅和阿邦就會自動讓出唯一的那張辦公椅給她坐。

到店裡除了和他們聊聊天外，她也會幫田元豐處理一些帳務上的問題。

阿邦和小羅總是老闆娘長、老闆娘短的喊著她，依照他們對老闆的了解，藍琇希絕對是他們的老闆娘不二人選。

「喔。」藍琇希接下他遞過來的錢，打開抽屜放入，順便拿出一枚五十元硬幣給他。

送走換好機油的客人後，他和小羅一起進到店裡和藍琇希聊天，反正下班時間快到了，沒什麼車會進來。

「別看啦！老闆等一下就回來啦！」阿邦朝看著門口發呆中的藍琇希喊道。

她回過神。「我又不是在等他。」

「那不然是在等我喔？」

藍琇希只是白他一眼，她已經習慣阿邦和小羅開玩笑的方式，遇到他們想開她玩笑時，通常她都是無語的白他們一眼，誰教她說不過他們。

「算了，不好玩，每次都這樣對付我們，我到外面抽根菸。」阿邦起身往店外走。

自從藍琇希加入後，店內就成了禁菸區，老闆下了新規定，只要藍琇希在，想抽菸就必須到離店兩公尺遠的地方抽。

小羅沒跟去，一方面他的菸癮沒像阿邦那麼大，幾乎每隔半個鐘頭就要抽一根菸才行；另一方面他覺得站在馬路邊抽菸的感覺很怪，感覺像是被趕出去的孤兒，所以只要藍琇希在，他寧願忍著，也不會委屈自己到馬路邊抽菸。

阿邦才走到店門口就又折回來，神情緊張地說：「妳媽來了。」

他們都知道李香吟不喜歡老闆的事，也知道老闆和藍琇希的戀情還算是地下戀情，公開不得，所以絕大部分的時間他們都待裡面的工作室，有時候被附近的鄰居看見藍琇希在店裡走動，他們也會想辦法掰理由替她化解。

「什麼?!」店裡的兩人同時驚呼。

「妳媽來了，而且目標好像就是這裡，妳要不要躲起來?」他剛剛看李香吟走的方向是筆直朝這邊而來。

「要躲哪裡?」藍琇希一時也慌了。

老媽從不到機車店，今天怎麼突然就來了?

該不會是發現她和田元豐的事了吧?!

「來不及了，就躲在下面吧!」

小羅動作迅速的將她「塞」進桌底下，李香吟也剛好走進來。

「你們老闆在嗎？」李香吟的語氣果然很差。

「出去交車給客戶，請問有什麼事嗎？」阿邦客氣得很。在還不知道她想幹麼前，客氣點總是比較好。

李香吟環視店內一眼，確定店裡真的只有他們兩個人後才開口。「轉告你們老闆，外面不要堆那些廢輪胎，污染社區環境，你們不知道這樣會滋生蚊蠅嗎？要是我們因此生病了，你們賠得起嗎？」

哇～～她今天是吃錯什麼藥了，存心來找碴?!摩托車店又不是今天才開張，都開這麼久了才來抗議，不是找麻煩是什麼？而且田元豐很注重環境，不管是廢油還是廢輪胎，都另外花錢請專門的環保公司處理，即使換下來的廢輪胎會暫時堆在門口，也一定會在一星期內清理掉，根本不會有滋生蚊蟲的機會。

「好。」阿邦懶得和她辯，直接應允。

未來的老闆娘就縮在桌子下，眼前的又是未來的頭家娘嬤，和她大小聲對他或對老闆他們的戀情都沒好處，這點分寸他還拿捏得住。

他不和她辯，李香吟也就說不下去了。「回來記得告訴他，要是他沒有馬上改善的話，我一定會再來找他。」

「是。」這次他們一起點頭答應。

面對只會單音回應的兩個學徒，李香吟也不能拿他們怎樣，只好隨口再交代一些無關緊要的雞毛蒜皮事，才悻悻然離開。

藍琇希鑽出桌底時已經滿臉通紅、滿身大汗，阿邦還有心情開玩笑。「等一下叫老闆換一張大一點的辦公桌，我看這個桌子底下以後會常常用到。」

「對不起，造成你們的困擾，我媽她……一直都比較熱心。」自己的媽媽不能說得太難聽。

「知道知道，我們無所謂，就是老闆會比較辛苦，還有你們的事也會變得很棘手喔！」小羅一向比阿邦懂事。

「嗯。」藍琇希陷入苦惱。

她和田元豐交往的事表面上一切看似順利，其實其中問題一堆，而問題的根源都是來自李香吟。

因為已經下定決心不再說謊，所以每次出門她都很老實的說是要和「朋友」出去玩，唯一死不承認的，就是沒讓李香吟知道對方是她最討厭、最瞧不起的田元豐。

令人意外的是，李香吟對於她每個週末都和朋友出遊並沒有什麼較大的反彈，她的說法是女孩大了總是要嫁人，她不反對藍琇希交男朋友，「只」要求對方「至少」要有錢，婚後每個月還是要給藍琇希娘家所「需要」的生活費就行了。

李香吟又不是笨蛋，藍琇希每個禮拜都開開心心的出門，肯定是交了男朋友，反正琇希除了每個月五千塊的生活費外，也沒另外向她伸手要錢，所以就讓她交個男朋友也無所謂。

況且早在藍琇希高中時期她就已經警告過她，不准在婚前和男人亂亂來，要是讓她知道了，絕對打到她皮開肉綻，一個月不能下床！諒她也不敢亂搞男女關係。

她也不是計較什麼崇高的道德標準，她在乎的是當要把藍琇希嫁出去時，能不能談到一個好價錢？她相信原裝貨和二手貨的聘金肯定價差一倍以上，所以當然要嚴格要求藍琇希顧好僅存的唯一優勢。

「我看待會兒老闆回來後，妳和他談談吧！總不能一直這樣下去，醜媳婦總要見公婆，老闆一定要得到妳媽的認同才行。」小羅真的比較懂事。

「嗯。」

她不知道要怎麼跟田元豐開口討論這件事，還沒交往前他就知道媽媽非常不喜歡他，所以交往後能夠理解她一些比較「特殊」的行徑，但是他們從沒正面談過關於李香吟的問題。

可是小羅說的也沒錯，總有一天他們都得面對的，拖得愈久，只會死得愈難看。

「對啊！我看妳媽是個狠角色，要是讓她知道妳和我們老闆在談戀愛，妳這麼瘦弱～～恐怕不是妳媽的對手吧？」阿邦懷疑的從頭到腳打量藍琇希一眼。

「你再亂說，小心老闆回來把你舌頭割掉喔！」小羅警告他。「頭家娘嬤的事，老闆和老闆娘自己會解決，不用你雞婆，還烏鴉嘴的詛咒。」

「本來就是，她媽那麼兇，這是大家都知道的事啊！我不過實話實說也錯了嗎？」阿邦並不覺得說錯話。

田元豐臭著臉從外頭回來，打斷他們的談話，從他的臭臉看來，應該也在外頭受到客人的氣。

他還不知道李香吟來過的事，只是覺得小羅和阿邦的神情也不太自然，緊接著看到藍琇希也在，臉上馬上浮現笑容。

即便剛剛遇上的是一個機車加龜毛的「機毛」客人，只要看到藍琇希，他的心情都會格外的好。

「什麼時候到的？」她怎麼沒先告訴他要過來？

「我到的時候你剛好出門了。」她來店裡也不是什麼大事，不需要特別通知而影響他工作。

「唔。」看見小羅和阿邦的神色頗為難看，轉而詢問他們。「店裡沒事吧？」

他平常不會這樣問，是看他們神色有異才隨口問問。

他們兩人你看我、我看你的，像是在以眼神猜拳，看誰要負責報告李香吟來店裡的事，最後由阿邦敗陣下來。

「有一點小小的問題。」

「什麼問題？」希望不會比剛剛那個機毛客人棘手。

「頭家娘嬸來過。」私底下他們都這麼稱呼李香吟。

「嗄?!」還真給他遇上更棘手的事。

他睞向藍琇希，得到她肯定的點頭確認。

「妳有沒有怎樣？」他知道李香吟不喜歡自己，擔心她來這裡是要教訓琇希。

她猛烈搖頭。

阿邦開口解釋道：「她沒看到老闆娘，因為她躲在桌子底下。」

「然後呢？」這麼委屈，竟然躲在桌子底下?!對方可是自己的媽媽耶！

「我們本來以為她是要來找頭家娘的，結果她指名要找你。」

「然後呢？」原來是來找他算帳的。

「然後我就說你不在啊！」一個問題，一句答案。

看得出來田元豐的忍耐已到極限。「一、次、說、完。」

「喔。她請你把門口那些……」

好不容易阿邦一口氣將李香吟的要求講完。

田元豐原本以為是為了他和琇希的事而來，結果卻出乎意料，讓他覺得啼笑皆非。

「知道了。小羅，明天就請環保公司來收走。」拍拍小羅的肩膀，轉身對藍琇希說：「琇希，有空嗎？我想我們需要談談。」

廢輪胎事小，他們的事比較重要。

雖然李香吟今天不是為了他們的事而來，不過他們的事遲早要公開的，他想跟琇希討論一下，確定未來要怎麼走才對。

「嗯。」她也想和他談談說。

他們一起走進裡面的工作室，田元豐還拿錢給阿邦，要他出去買幾杯飲料回來，他預計和琇希應該會有一段長時間的懇談。

第六章

「妳要去哪裡？」李香吟從廚房出來，冷聲攔下正要出門的藍琇希。

沒預期會被攔下，藍琇希被母親嚇了一大跳。

「嗯……要和朋友出去。」

「誰？哪個朋友？」李香吟雙手環胸，一副追根究柢的模樣。

「嗯……」她感到難以開口，因為她並不想說謊。

「說啊！不然讓他進來接妳，不要每次都是妳走出去！妳是女生耶，當然要男生到家裡來接才顯得有身價。」她是故意這樣說的，這兩天隔壁的王大嬸不斷跟她咬耳朵，要她多注意琇希，別被巷口的田家小子給拐了。

王大嬸和她一樣不喜歡田元豐，所以一發現琇希常常出現在摩托車店後，就趕緊向李香吟通風報信，其實還不就是抱著看好戲的心態。

「……」琇希低頭不語，以目前的狀況來看，田元豐根本不能到家裡接她。

「是巷口那姓田的小子對不對？」乾脆說明白了。

琇希倒抽一口氣，驚詫的抬頭睨向母親。

「看什麼？因為被猜中所以嚇到了是嗎？」李香吟緩緩走到她身邊。

琇希又將頭低下，現在她更不敢說話了。

「妳好大的膽子！明知道我討厭那姓田的小子討厭得要死，還敢跟他來往，沒事就往他那跑？幹麼呀！真這麼賤，喜歡做倒貼人家的事是嗎？」就說生女兒沒用，根本就是個賠錢貨。

「妳知不知道王大嬸告訴我這些時表情有多難看？那副得意的嘴臉讓我真想撕爛它。」她就是丟不起這張老臉，也清楚知道王大嬸看似好心提醒，其實分明是想看她笑話。

「我和元豐並沒有怎樣。」她知道透過王大嬸的嘴巴，什麼難聽的話她都敢亂掰，所以先為自己和田元豐辯解。

她原本和田元豐講好了，要盡快找個適當的時機向媽媽公開一切，看樣子現在也甭說了……

她真後悔當時沒有馬上和田元豐回家告訴媽媽這件事，從自己口中說出總比聽王大嬸在那邊亂掰得好。

「妳說什麼？元豐?!妳和他上過床了是嗎？叫得這麼親密，怕人家不知道你們在一起啊！」李香吟音量愈來愈大，語調愈來愈高，也愈來愈向她逼近。

「沒有，我們只是聚在一起聊聊天而已。」頂多出遊時會牽一下手也還好吧？

李香吟從鼻子哼氣。「聊聊天，光著身體躺在床上聊天是嗎？」

「媽～～」她真的是她的親生女兒嗎？怎麼有母親對自己的女兒講話這麼毒？

「我警告妳，今天妳別想踏出家門一步，以後由我來接送妳上下班，放假也給我安分點，要是讓我知道妳偷偷和那沒出息的傢伙見面的話，看我怎麼修理妳！」

李香吟這話可不是講假的，從小到大，她修理藍琇希的方法可多的咧！

「我……」

「還不進來?!」

琇希只好乖乖進屋，心中思索著要如何和田元豐聯絡上。

「行動電話拿來。」李香吟朝她伸直手臂。

「什麼?」她一臉茫然。

「什麼?!還敢問?當然是妳的手機啊!難道妳天真的以為我會讓你們繼續用手機傳情啊?」既然要禁止他們來往，當然就要徹底執行。

藍琇希將眼睛瞠到最大。

失去手機不就等於失去一切了嗎?

在這個家裡面，只有手機才是真正屬於她自己的，現在要把它沒收，豈不就像抽掉她的主動脈一樣要她的命嗎?

李香吟根本不理會她的任何反應，這個家現在是她最大，除非藍勝希在，否則一切她說了就算。「拿來啊！」

琇希緊緊握著拳頭，咬著牙。

她一點都不想把手機交出去，這是她唯一可以和田元豐保持聯繫的工具，怎麼可以交出去？

「妳這是什麼表情？想反抗我是嗎？真是造反了！我就說嘛，養女兒就等於養個賠錢貨，瞧瞧妳現在這是什麼樣子？為了一個沒出息的野小子敢反抗我?!妳試試看啊！看我會不會打爛妳的嘴、抽斷妳的腿。」她很久沒打琇希了。

藍琇希將手機從包包拿出來，抖著手交給她。

李香吟一把搶過，一點也不客氣。「我就看這臭小子敢不敢打電話來。」

藍琇希欲言又止的睞她一眼。

她本來想再為田元豐說些什麼的，但是覺得此時並不適合，所以已經到嘴邊的話又全部嚥下。

「我回房間了。」回房間躲總行了吧？

「等等，大白天的躲在房間幹麼？在這邊坐著，我好不容易又接到一個新的人造花代工，今天材料會到，反正妳哪也去不了，就一起學，幫忙做點事。」

現在家庭代工的工作很難找，要不是靠著她以前做代工的「人脈」，哪搶得到這份工作啊！

「喔，那我先回房間換衣服。」既然不能出去，那穿家居服就好了。

「嗯。」

李香吟一點也不擔心她會利用回房間換衣服的時間和田元豐聯絡上，因為她的房間沒裝電話，除非她還有私藏的手機，否則是絕對逃不出她的手掌心。

「幹麼一臉氣憤的模樣？誰敢惹我親愛的老媽生氣，我去找他算帳。」此時藍勝希正好從外頭走進來。

還真是稀客呀！

看到兒子就像看到救星一樣，忙著向他抱怨。「還不是你那沒用的姊姊！

什麼人不好搭，竟然去給我搭上巷口那個姓田的黑手?!根本就是想把我氣死。」

「妳說琇希和田元豐搞在一起?!」真是有其母必有其子，藍勝希用的形容詞更是難聽好幾倍。

「不然還有誰，這裡就那麼一戶姓田。」

「既然她喜歡吃苦受難，就讓她去呀！妳也省得這麼辛苦的養她，給別人養不是更好？」

雖然對田元豐沒什麼好感，還被他教訓過，不過，既然老姊喜歡就讓她去啊！反正受磨難的不是他就好。

「這怎麼行！姓田的那小子能給我們什麼？我養她養到這麼大，怎麼可以就這樣白白送給人?!」李香吟情緒非常激動，要她將琇希無條件嫁出去是不可能的。

「是，妳最辛苦了，她都不懂妳的辛苦，真是不孝女。」緊緊攬了一下李香吟的肩膀。

因為兒子的「體貼」，所以她的氣馬上消了一半。

「親愛的媽，別談這個了，我有一件更重要的事要跟妳商量。」這才是他今天回來的目的。

「什麼事？」這孩子就是乖巧，什麼事都會先跟她商量，不像琇希，先自己偷偷摸摸的做了才讓她收拾殘局。

「我想把車賣了。」

「賣了?!不是才剛買嗎？」她的死會都還沒繳完呢！

「嗯，想換車了。」哪個男人願意開小車啊！

這理由讓李香吟不能接受。「車子還那麼新，幹麼換呢？」

勝希再度攬上她的肩膀。「媽～～妳希望我娶個能讓我少奮鬥三十年的老婆對不對？」

「是沒錯，但這跟換不換車有什麼關係？」只怕老婆還沒娶到，她就先被一堆死會的壓力給壓死。

「我跟妳說，我們總經理很喜歡我，一直說要把女兒介紹給我，可是我遲遲不敢答應。」順勢將李香吟帶到藤椅前坐下。

「真的?那你幹麼遲遲不答應?」聽到總經理三個字，她的眼睛閃閃發亮。

「妳想想看，總經理的女兒耶!我能用外面那台小國產車載她嗎?只怕會馬上見光死喔!對方可是住好幾千萬的豪宅，開好幾百萬名車的小姐，她會看得上我這個開小破車的男人嗎?」明明就是自己想開出去炫。

李香吟還真被他唬得一愣一愣的。「那怎麼辦?」

「所以我才說要換車啊!我跟妳說，我已經想好了，先把我的車子賣掉，然後妳再貼一點錢給我，這樣頭期款就有啦!」

他早就計劃好了，回來是為了要她貼「一點」錢。

「那要湊多少才夠?」才新起的會又沒啦!

「大概四十萬左右。」其中有十萬是他自己要花用的。

李香吟驚詫得差點斷氣。「怎麼要這麼多?」

「當然啊!進口車耶!這還只是頭期款的部分，我以後還要每個月繳分期。」

「這……」李香吟面有難色。

「有困難啊？那就算了，大不了就回絕總經理，一輩子當個小職員就好。」還故意加重語氣咧！

李香吟果然中招。「不是不願意，只是錢……需要時間湊。」

「沒關係，下個禮拜給我就好了。」說得真輕鬆。

「嗄？」下禮拜?!她要上哪生啊！

「就這樣啦！哈～～昨晚很晚睡，一大早又趕著回來，我進去補眠了。」拍拍李香吟的肩膀，一路打著呵欠回房間。

錢的事就交給老媽去煩惱吧！

✽　✽　✽

「喂，我是琇希。」藍琇希摸黑蹲在客廳的電話旁，拿著話筒小聲說話，聲音小到幾乎只剩下氣音。

經過一個禮拜的諜對諜，李香吟終於因為體力不及她而沈沈睡去，她才能溜出房間打電話。

她沒想到媽媽會做得這麼絕，竟然在她房間打地鋪，而且連續幾天幾乎都沒睡覺?!只要她一下床，媽媽馬上坐起身問她要幹麼，驚嚇指數高達一千！害她接連幾個晚上，喝了不少次水，也上了不少次廁所。

今晚，李香吟終於撐不下去了，才一沾枕就馬上發出轟天的打呼聲，也許是因為要給勝希的錢終於有著落的關係。

經過多次進出房門測試，確定她真的睡著後，藍琇希才敢溜出來打電話。

「琇希?!妳在哪?還好嗎?」田元豐才剛躺到床上，接到電話又馬上彈起。

已經整整一個星期沒見到她，讓他差點發瘋，第一天沒等到她時，以為她發生什麼意外，打手機給她卻是李香吟接的電話。

那一通電話讓他足足被罵了一個小時，差點聾掉，搞不好還有得腦癌的可能。

當然，即使他試圖想解釋也沒用，李香吟根本不給他開口的機會，而且從一開始就認定他是個壞男人，字字挾槍帶棍，使盡全力的奚落他，之所以可以一個小時就結束這通電話，是因為琇希的電話沒電了，連續嘟三聲後，隨即斷電。

雖然他為了避免李香吟誤會他掛她電話而馬上再回撥過去，可惜電話從此沒再通過，而他又沒有琇希家的電話，雖曾一度想衝到琇希家當面向李香吟解釋，但是在不知道實際狀況如何時，他也不敢輕舉妄動，免得害琇希的處境更悽慘，只好被動的等琇希和他聯絡。

聽到田元豐的聲音，琇希的眼淚不聽使喚的滾落下來，那種心酸的感覺讓她一時說不出話。

「琇希？妳在嗎？」田元豐著急地喊著，好不容易聯絡上，別又斷了。

他之前曾經試圖打到公司找她，很不幸的電話被老闆娘接到，還嚴厲警告他不要在上班時間打電話到公司，否則就扣琇希的薪水，讓他只好放棄這個可以和她聯絡上的方法。

於是他只好每天等著李香吟載琇希上下班時躲在一旁偷看，但是李香吟每次都刻意繞路，從巷尾出去，讓他空等一場。

「嗯。」怎麼辦？她好想見他。

「這幾天還好嗎？」他問這不是廢話嗎？見不到他怎麼會好？

琇希不斷搖頭，壓根兒忘了他根本看不到。

「怎麼不說話？是不是伯母在旁邊不方便？」他真是豬頭，要是李香吟在她旁邊的話還得了?!

「沒有，只是終於能和你通上電話，心情激動到說不出話。」激動歸激動，音量還是要儘量壓到最低。

「我也是，這幾天都睡不好，好幾次都想衝到妳家向妳媽說清楚，又擔心會因此讓妳更難做而作罷，只好消極的等妳主動和我聯絡。」

「我媽看得很緊，現在每天接送我上下班，晚上寧願忍受寒凍也要在我房間打地鋪盯著，今天是她撐不下去睡著了，我才敢出來打電話給你。那天你打來，我媽沒說什麼難聽的話吧？」那天知道田元豐打手機找她，她緊張得不知該如何是好，可是媽媽又故意鎖在房間內講電話，硬是不肯讓她知道他們談話的內容。

田元豐無聲的苦笑。「沒有，比起妳所承受的，那根本不算什麼。」

「我了解我媽，她一定說了很多不好聽的話。」

「我說了，那沒關係，我們也不要用這寶貴的時間來討論已經過去的事，還是談談接下來該怎麼做比較好。」過去的事沒什麼好說，反正罵也罵過了，眼前最重要的是如何讓李香吟解禁。

「嗯。」

他們堪稱現代最苦情的一對，好不容易通上電話，卻不能先盡情的談情說愛一番，反而必須正經的討論事情，然後又因為擔心李香吟會醒來，所以討論完事情後就匆匆掛上電話，不敢多說什麼。

幸好，一直到他們講完電話，琇希躺回床上時，李香吟還是沒有醒來。

❀ ❀ ❀

「你來幹麼？」李香吟一見到田元豐就擺出嫌惡的面孔，一點也不想掩飾自己有多討厭他。

在一旁幫忙做人造花的琇希驚訝地盯著他。

那晚在電話中，他們明明說好要等她去上班不在家時，他才要來家裡找媽媽談的呀！他怎麼沒有按照劇本走呢？

「伯母，我想和您談談。」田元豐提著一盒高級水果，擺出最謙遜的姿態。

「我和你沒什麼好談的，出去！」李香吟低下頭，繼續用鐵絲將層層的花瓣綑緊。

田元豐當然不可能就這樣離開。「我想和您談談我和琇希的事。」

琇希停下手中的動作，專心注意母親的反應。

「妳先回房間，我沒叫妳不准給我出來，知道嗎？」反正琇希坐在這裡也不會專心工作，乾脆讓她回房間，不給她和田元豐有接觸的機會。

「喔。」琇希失望的拖著沈重的步伐回房間。

確定聽到琇希關門的聲音後李香吟才開口。「你想說什麼就說吧！」她倒要聽聽狗嘴裡能吐出個什麼東西來。

「我和琇希是真心相愛的，希望伯母成全，不要阻止我們。」

「真心相愛?!一斤值多少錢啊？」李香吟嗤之以鼻。

「愛情不能用金錢來衡量，它是無價的。」田元豐態度堅定，無論如何都要為他們的未來奮戰。

「呸！你才讀多少書？不過是個小小的鄉下機車店老闆，你知不知道養大一個女兒要多少錢？隨便呼唪個兩句就想撿現成的?!等我進棺材後再說吧！」

「我不是這個意思，只是想讓伯母知道我真的很在乎琇希。」

「在乎?!有我這個做媽的在乎嗎？從出生到現在，吃了多少苦、受了多少難，才一點一滴的把她拉拔到這麼大，你隨隨便便左一句無價、右一句在乎就想吃免錢的啊？這世界上要是真有這麼便宜的事也絕對輪不到你。」她真的把他瞧得扁扁扁耶！

聽到她對琇希物質化的形容，田元豐雖然氣到腸子都快扯斷了，表面上還是得維持對長輩的謙卑。「我想琇希已經是成年人，可以分辨是非，伯母不應該把她形容成商品。」

這邊在大戰三百回合，琇希在房間內也不好過，不安的在房間裡來回踱步。她不需要貼著門板就可以聽到他們的聲音，她不在乎母親把她商品化，只擔心田元豐反被母親攻擊得傷痕累累。

客廳這一頭，李香吟再度揚高音調。「她是我一手養大的，當然什麼都得聽我的，就算她已經四十歲，只要我還活著，她就要聽我的！和你在一起，你只會教壞她，她以前多聽話啊，都是因為你她現在才敢跟我頂嘴，我倒希望她真的是個商品，至少可以任由我擺佈。」

李香吟愈說愈過分，脫口而出的話讓人聽不出是一個母親該說的話。

「伯母，如果妳要繼續這樣用言語傷害自己的女兒的話，我們就沒有談下去的必要，而且我也不會因為伯母反對就放棄和琇希在一起。」田元豐態度更加堅定。

「話別說得這麼滿，我就不信琇希敢忤逆我！再說，我已經請阿好嬸幫忙找合適的人家，只要對方條件符合我的要求，我就把她嫁了，你想等的話，就慢慢等好了，反正你爸也不在了，就算你要絕子絕孫他也看不見，隨便你想怎麼搞就怎麼搞。」反正她就是瞧不起他是做黑手的啦！

「伯母！請不要拿我爸出來開玩笑。」一個人的忍耐是有限度的。

「誰跟你開玩笑？我說的是實話啊！大家都知道，常常有一些像混混的人在你的店門前聚集，也不知你們都在搞什麼鬼，搞不好學古惑仔到處去逞兇鬥狠喔！你不知道你是我們這一鄰的老鼠屎嗎？我怎麼可能讓我的小孩和老鼠屎在一起。」

「我們不是什麼古惑仔，只是愛好重型機車與大自然的同好而已，因為幫他們修車而認識。也許以前讀書時代我給大家的印象確實不好，但是在我回來開這間摩托車店後，相信大家對我已經改觀，這點從這地區所有的摩托車都會到店裡來做保養維修可以看出。」他不是想要自誇，只是想解釋清楚罷了。

李香吟根本不想聽他解釋。「你要和阿貓或阿狗在一起都是你家的事，與我無關，只要你別來招惹我們家琇希就好。我再說最後一次，好不容易把琇希養到這麼大，就像播下的種子終於要收割了，容不得你來攪局，而且你也沒那資格。」說得好像買來的小豬終於養肥了，可以宰來吃一樣。

「伯母口口聲聲說要幫琇希找個好人家，所謂好人家的條件是什麼？」

「你想幹麼？還不死心啊！」

田元豐自信滿滿。「我不認為我的條件會比別人差。」

「哈！真是天大的笑話，就憑你那破小的機車店，你就認為比得過別人？根本是癡心妄想！」李香吟差點發出巫婆般的笑聲。「我告訴你，至少先要有個幾甲地才行，當然最好還有幾棟房子，對我們要出手大方……」

李香吟的條件全都和錢有關，開口閉口不是地就是錢。

「伯母的意思是不在乎對方會不會疼愛琇希，年紀適不適合是嗎？換句話說，就是只要對方有錢，琇希就可以嫁給他？」他真他媽的想揍人。

「只有像你這種沒有錢的人才會整天把疼啊愛的掛在嘴邊，因為你沒錢嘛，只能說些沒營養的話來騙騙女生，有錢有勢的人根本不需要這樣。」在她眼裡，沒錢的男人都只是個屁！

「沒想到伯母竟然會為了名利而犧牲女兒的幸福?!」

「跟了你，她才會一輩子不幸福吧?如果真和你在一起，她根本沒未來，不但對娘家沒幫助，搞不好到時候還要找娘家幫忙，我怎麼可能讓這種事發生?」

「伯母～～」

琇希衝出房間打斷他的話，撲通一聲跪在李香吟面前。「媽，我是真的喜歡元豐，我不怕吃苦。」

與其在房內緊張，不如出來直接面對，她也不忍讓田元豐一個人孤軍奮戰。

「這是在幹麼?妳跪什麼跪?起來!」李香吟受不了她這麼沒出息的樣子。

琇希一點也沒有要起來的意思。「媽～～拜託～～」

「妳有沒有出息啊?為了個窮小子竟然做這種丟臉的事?!跪什麼跪，妳給我起來聽到沒有──」李香吟拉扯著琇希的衣袖要她起來。

她非常生氣，從丈夫去世到現在，不管多苦多累，她都咬牙忍下，絕不輕言低頭，就算她確實對勝希比較偏心，但該給琇希的她也沒少過，今天琇希卻表現得這樣讓她失望，她不氣才怪。

「琇希，別這樣，先起來，伯母不喜歡妳這樣。」田元豐上前將她攙扶起來。

看到琇希聽他的話起身，李香吟更光火了。

「藍、琇、希！妳真是不要臉！老娘養妳二十幾年，給妳吃穿、給妳住，妳不但不知道要感恩，還找這個臭小子來想先氣死我？我叫妳起來妳死都不肯，他一開口妳就巴著他起來，那老娘算什麼？早知道這樣，妳生出來的時候就把妳掐死，何必浪費這麼多米把妳養這麼大！」

「媽～～」琇希滿臉的委屈，想說的話全卡在喉頭，一個字也吐不出來。

「不要叫我！我認不起這麼不要臉的女兒。」

「伯母，請妳相信我和琇希彼此是真心的。」田元豐軟聲道。

「滾！」這話是對田元豐說的。

「媽。」

「伯母～～」

「我不想再和你多說，你給我滾出去，除非我死，否則你們這輩子休想在一起！」連這種惡咒都下了。「藍琇希，妳也給我進房去，敢忤逆我，看我怎麼修理妳。」

田元豐開口想再說什麼，但是李香吟並不打算再給他機會。

「滾！不要讓我再看到你。」

因為李香吟態度堅決，所以田元豐只好離開。

他一離開，李香吟當然就毫不客氣的好好訓斥琇希一番，而且下定決心絕對不會讓他們有任何在一起的機會，而且，她要趁琇希還是原裝貨之時趕快把她嫁掉，以免夜長夢多。

第七章

藍琇希提著簡單的行李出現在摩托車店，嚇壞了正在清洗摩托車的小羅和阿邦。

「老闆娘?!妳怎麼來了？妳不是被關起來了嗎？」阿邦張著嘴都忘了要合起來。

小羅用手肘頂頂他，要他別亂說話。

「嗯，元豐在嗎？」她只想趕快見到田元豐，詳細的細節晚點再說吧！

「在裡頭。」小羅指向裡頭的工作室。

自從老闆娘被禁足不能到店裡來以後，老闆總愛把自己關在工作室裡，除非重大事件，否則店內的事都完全交給他們處理。

今天看到琇希出現，除了意外以外，還有驚喜。她如果可以出現在店裡，就表示事情終於露出一線曙光，老闆出運，他們也跟著有好日子過。

「謝謝。」

道完謝後，琇希踏著堅定無比的步伐往工作室走去。

來到工作室，映入眼簾的是田元豐專注組裝一組重型機車零件的背影，即使只是看見背影，也能感受到他身形憔悴。

她開口輕聲喚他。「元豐。」

田元豐停下手邊的動作，遲疑一會兒後才轉頭，看到琇希真的站在門口，馬上起身迎上。「妳怎麼來了？」

難道伯母想通了，願意「成全」他們?!

「溜出來的。」她簡單一語帶過。

「所以伯母並不知道妳跑出來？」看到她提在右手上的行李袋，可以猜到個大概情況。

他有一點點失望，原本以為是伯母終於想通了，結果卻是琇希先舉白旗投降。

「嗯，她出去買菜，應該沒料到我會有膽子偷跑出來。」她說得輕描淡寫，其實收拾行李出來前，她內心已經掙扎了好幾天。

「這邊坐，我們聊聊。」他拍拍身邊的木頭矮板凳。

琇希乖乖坐到矮板凳上，將行李放在大腿上。

田元豐拉來一副拆下的摩托車外殼，隨意拍拍上面的灰塵就坐上去。

「妳接下來打算怎麼做？」他完全沒料到琇希會不顧一切的跑出來，一時之間也不知該如何處理，決定先聽聽她的意見。

「不知道。」她根本沒想到後面的事，只是想見他。

田元豐內心很掙扎，他應該要趁李香吟還沒發現之前把她送回去，可是另一個聲音又極力要求他把她留下，因為他實在太想她，捨不得再和她分開。

最後，他決定留下她——不計一切後果也要和她在一起。

「先留下吧！伯母那邊我們再慢慢想辦法。」他是個重承諾的人，一旦說出這樣的話，就代表一輩子的承諾。

「嗯。」她的眼眸閃著淚光，原本還擔心他會拒絕收留她。

田元豐起身後將她牽起。「未來的路絕對會很辛苦，妳確定考慮清楚了嗎？要後悔還來得及，趁伯母還沒發現之前，我可以馬上送妳回去。」

跟著他雖然不見得可以過奢華的生活，但至少他可以保證會將她捧在手掌心中疼著、愛著，盡力呵護著，絕不會讓她吃苦受難，唯一美中不足的地方，就是可能會從此和李香吟劃清界線也說不定。

「當然不！」

既然都出來了，就表示她的心意很堅定，怎麼可能再回去？

「好，那我先帶妳上樓放行李，熟悉環境。」琇希都不怕，這麼相信他了，他又何須擔心？

「嗯。」

他們才剛上樓不到五分鐘，李香吟後腳就踏進店裡要人，小羅和阿邦理所當然扛起擋駕的責任。

「叫田元豐給我滾出來，否則我就燒了他的店。」李香吟雙手插腰，一臉要和人拚命的可怕神情。

「大嬸，就跟妳說我們老闆不在，就算要他滾，也要人有在啊！」阿邦大聲回應，他可沒說謊，老闆是在「家」裡，不是在店裡。

「真是什麼人養什麼狗，你以為我不知道他們在裡面嗎？有本事就別躲躲藏藏的，叫他出來，我有話跟他說。」

當她回家發現琇希不在時，第一個想到的就是這裡，將東西放著便趕忙往這裡來，卻還是沒攔截到人，她都快氣炸了，這臭小子還敢和她耍嘴皮?!

「這位大嬸，我們這裡沒養狗，唯一吠吠叫的就是妳啦！原來妳屬狗啊？」阿邦也是一肚子火。

他火的原因是因為李香吟不夠上道，竟敢阻止老闆他們談戀愛?!而且上次老闆去拜訪時還被她趕出來……

老闆一直都是他的偶像，看到偶像遭受到這種待遇，心裡已經鬱卒得要死了，現在既然她自動送上門來，他當然要盡全力的為老闆討回公道，早把老闆交代要以禮待她的話給拋到豬舍去了。

「臭小子，嘴巴放乾淨點！這裡沒你的事，你最好少開口，去把田元豐叫出來。」李香吟火氣旺得很，嗓門也不會比他小，這樣無節制大喊的結果，就是引來左鄰右舍的圍觀。

「就說不在了，妳是聽不懂喔？」看到愈來愈多人圍觀，阿邦也不客氣了，反正他早就想讓大家看看她的真面目了。

眼見圍觀的人愈來愈多，小羅才加入戰局。「我們老闆真的不在，不如妳晚點再來，我們還要做生意呢。」

解鈴還需繫鈴人，這件事還是要田元豐自己出面才行。

在這個鄰里，李香吟比誰都還要愛面子，當然不希望家醜外揚，只好撂下狠話警告道：「告訴田元豐，是男人就不要縮頭縮腦，既然有種拐人，就要有種面對，不要像隻縮頭烏龜一樣躲在後面，然後派兩隻看門狗出來亂吠！你們給我轉告他，要是他敢動琇希一根汗毛，就算有十條命也不夠賠我，知道嗎？」

這可是她自己說出來的，現在大家都知道琇希被拐了。

「這話妳就留著跟我們老闆說吧。」阿邦也懶得和她吵，接下來是老闆的事，就讓他自己處理。

「哼！」李香吟轉頭打算走人，看到圍觀的鄰居後，沒好氣地罵道：「看什麼看啊！沒看過我罵人是不是？回去、回去！」揮著兩隻手，要大家離開。

圍觀的群眾一看沒好戲看了，不用她開口就自動散場，留下的只是想看看還有沒有「幕後花絮」的八卦鄰居。

等到店內恢復以往的平靜時，田元豐才帶著琇希下樓。

他們當然知道李香吟來的事，也聽到樓下的爭執聲，只是琇希才剛離開家，而他們也才剛說好要一起生活、一起面對所有的困難，加上李香吟正在氣頭上，就算他們下樓也只會讓場面更難看，並不能解決問題，所以他們才決定等過一陣子李香吟沒那麼激動的時候再向她解釋。

阿邦本來搶著要報告剛剛的最新戰況，田元豐卻開口制止他。「不用說了，我們在樓上都有聽到。」

「喔。」阿邦只好閉嘴。

「我看頭家娘嬤來勢洶洶，一定還會再來，你們打算怎麼辦？」小羅理智的提出他的問題，畢竟這裡是做生意的地方，經不起李香吟這樣三天兩頭的大吵大鬧，雖然他支持老闆和老闆娘，但是填飽肚子也很重要啊！他並不想扯入這場戰爭中。

「先等她氣消了再說。」就算他現在馬上帶琇希回家也沒用，只會換來更難堪的對待而已。

「氣消?!哪有可能啊！你剛剛都沒看到，她根本已經氣得臉都歪了，那個樣子要等她消氣，看看下輩子有沒有希望。」

阿邦一點也不相信李香吟會消氣，也不是故意要潑他們冷水，只要問問剛剛在場的人就知道，李香吟絕對不可能消氣的啦！

「喂！不要這樣說頭家娘嬤啦！老闆娘會難過的。」小羅提醒阿邦。

「本來就是啊！都什麼時代了還搞禁足這一套?!不要說是發生在老闆娘身上，就算是發生在別人身上讓我知道了，我也是一樣會罵到天翻地覆！現在光是看到她就煩。」阿邦果然是一根腸子通到底的性情中人啊！

「別說了，我打算帶琇希一起參加下星期的環島旅行，店裡的事就交給你們了。」田元豐輕描淡寫的帶過。

把店交給他們兩個他很放心，尤其是小羅，絕對可以把店顧得很好。

「喔。」

老闆要和車友出門環島兩個星期是他們早就知道的事，現在只是加了老闆娘，對他們來說並沒有差別。

唯一狀況外的就是琇希了，因為田元豐還沒跟她提起這件事，扯扯他的衣袖低聲問：「什麼環島？」

「我本來預計下星期要和車友一起騎車環島兩個星期，妳剛好過來，所以打算帶妳一起去。」

「喔。」她只是輕應一聲，看不出任何喜悅。

如果是平常，她一定會開心得跳起來，但是現在卻不一樣，她此刻的心緒複雜到連自己都不敢想像她也可以想這麼複雜的事。

除了老媽的問題外，她現在也不敢確定田元豐的想法了，因為她無法理解為什麼在她被媽媽禁足的時候，他還可以開心地接受朋友的邀約參加旅行？

也許對他來說，她並不是那麼重要也說不定……那麼，她就不曉得自己這樣衝動的離家出走投向他的決定到底是對還是錯？

不管是對是錯，她都沒有退路可走，當她踏出家門的那一刻，就該知道媽媽是不可能原諒她的，萬一田元豐也只是想跟她玩玩的話，她一定接受不了這個打擊，乾脆去跳海算了。

她突然變得格外安靜，引起田元豐的注意。「琇希？」

「嗯。」輕聲敷衍。

「要去環島妳不高興嗎？」

「很高興。」表情僵硬到最高點。

「可是我完全看不出來耶！」不只他，相信小羅和阿邦也看不出來。

「喔。」她還是簡單應一聲而已。

田元豐很細心，猜到她心裡在想什麼。「一定是在生氣對不對？」

「什麼？沒有啊！」她哪有生氣，只是不太高興而已。

「還沒有?!表情是騙不了人的。」

經他這麼一說，琇希馬上將雙手撫上臉。

真有這麼明顯嗎？

「妳一定在心底抱怨我怎麼這麼無情吧！」

你怎麼知道?!他還真是料事如神。

不用她開口回答，從她瞠大的雙眼就知道答案。

「環島旅行是很久以前就開始計劃的，除了我和幾個自由業的車友外，其他人都有排休假的問題，因此遲遲沒有成行，這一次好不容易大家都喬好假，日子總算敲定。本來我就打算帶妳一起參加，但是剛好發生這樣的事，說實在的，我也沒心情參加，還打電話回絕他們，不過他們要我考慮一下，只要在出發前都可以反悔。阿邦他們知道我不參加後都投反對票，可能是因為我心情不好荼毒他們太久了，所以他們急著把我趕出門，非要我參加不可。」

「是希望老闆能出去散散心。」小羅插話，阿邦用力點頭附和。

「總之，因為妳出現了，所以我決定帶妳一起參加，不曉得這樣的解釋妳滿意嗎？」田元豐露出招牌的誠懇笑容。

琇希覺得很丟臉，只好羞澀的點點頭代替回答。

現在，對於要出遊的事，她總算感到有一點點高興了。

※ ※ ※

為期兩個星期的環島之旅算是很成功，除了中間有車友摔車受點皮肉傷外，其他都在掌控中，若是有車子出狀況，田元豐也都能解決，整個行程在台北陽明山畫下句點。

所有車子到齊後，車友互相握手道別，田元豐和藍琇希則必須繼續往南騎回苗栗。

「想不想洗溫泉？」上車前田元豐先問琇希，既然都來到這裡了，嘗試一下硫酸鹽泉也不錯。

「可是昨天才洗過呀！」他們昨天才在礁溪洗過溫泉而已，而且這兩個星期以來，只要有溫泉的地方就有他們車隊的蹤跡，讓她一度以為他們是溫泉環島之旅。

「泉質不一樣，礁溪是屬於碳酸氫鈉泉，富含鈉、鎂、鈣、鉀、碳酸離子等礦物質，無色無臭；陽明山這一帶的泉質則是酸性硫酸鹽泉，顏色呈淡乳白色，帶硫磺味，兩者洗起來是不同的感覺，功效也不一樣，要不要試試？」

帶琇希出門讓他很有成就感，因為對她來說，除了苗栗以外，所有的地方都是第一次去，所有的事物都是第一次嘗試，看到她眼中不斷展現出的驚奇讓他超有成就感。

「好！」她是一個很配合的車伴，只要田元豐提議，她幾乎都會答應嘗試看看。

田元豐發動車子，準備出發。「那我們去『天瀨』。」帶著佳人當然要去好一點的地方。

「『天瀨』在哪裡？」這個知名的五星級飯店對她來說很陌生。

「在金山的陽金公路旁，是一家五星級的飯店，還滿有名的。」

琇希思索一會兒後才回應道：「不用去那麼好的地方，去一般的就行了。」這次的環旅費用都是他出的，她不希望讓他再花這麼多錢。

「沒關係，反正我也沒去過，就一起去看看吧！」

她當然知道田元豐這樣做都是為了她。「不要，那我不要去了。」

「為什麼？」因為車子已經在行進中，所以田元豐無法回頭看她的表情是否是認真的。

「你一定常來這裡洗溫泉吧？」這一路上他們幾乎都會選擇有溫泉區的地方過夜，而且大家對所到之處的溫泉都很熟悉，可見他們一定常常洗溫泉。

「還好，如果不想去泰安及尖石洗的話，就會到這裡或是烏來，距離比較近一點，不過大部分都是跟車友一起來比較多，我可沒那麼勤奮，自己一個人騎車到這裡洗溫泉。」

「嗯，那就去你們常去的那家就好。」

「『馬槽』?!」他驚呼。「不要啦！那裡環境不是那麼好，不適合。」

他們平常都去「馬槽花藝村」，不過他們是一堆男人一起洗大眾池，他怎麼可以讓她獨自一人去洗大眾池？

「那就不要去。」琇希難得使性子。

「那裡不適合洗個人池。」

「那就洗大眾池啊！」雖然這一路上她都沒洗過大眾池，但總要嘗試看看。

「妳確定？不可以穿泳衣喔！」他盡責的提醒。

行家都知道，穿泳衣洗溫泉就等於是在玩水，一點也不符泡湯的精神；洗個人池也一樣，要洗個人池不如在家洗澡就好，而且個人池的衛生問題反而比較多，所以他並不建議她洗個人池，更不可能把她一個人丟在外頭等他出來。

「不、不穿就不穿，誰怕誰呀！」明顯可以感覺出她是在逞強。

其實，她也是為了讓田元豐能得到充分的休息，舒緩一下筋骨，他白天要騎車、照顧她，晚上又要「滿足」她，就算是鐵打的身體，也需要重回鍋爐重新暖機一下吧！因此她才會逞強答應，為的就是讓他有休息的機會。

「好！那就去『馬槽花藝村』。」

決定好目標後，田元豐朝目的地飆去。

才剛到馬槽花藝村的門口，琇希就想反悔落跑。

只能用人山人海來形容眼前的景象，她不懂為何一間普通的溫泉店會有這麼多人？尤其今天還是禮拜五，至少還算是非假日吧！

田元豐牽著她越過人聲鼎沸的用餐區，來到男、女大眾池的分界櫃檯，買了兩張大眾池的票及兩瓶礦泉水後，遞一份給她。「女湯在那邊，票交給收票櫃檯，然後……然後就要靠妳自己了，我不知道裡頭的格局。」他沒進去過女湯，所以無法解說得很詳盡。

「喔！」她可不可以把票吞掉不要進去？

看出她的扭捏，輕聲問她。「是不是不敢進去？」

「唔，有點。」乖乖的老實回答。

「那……」

他表現出一副轉身就要拉著她離開的模樣，她只好再度裝堅強。「沒問題，剛開始總是會比較生疏，習慣了就好，反正大家都一樣。」勉強露出僵硬的笑容。

「如果真覺得不好意思就別勉強，我們還是走吧，反正我們一路上幾乎都在洗溫泉，不差這一次。」如果她不想洗，他不勉強，也不會獨自進去。

「沒這回事，我先進去嘍！待會兒見。」故作瀟灑的將票交給櫃檯，領了浴帽進去。

田元豐還在外頭多等了五分鐘，確定她不會花容失色的衝出來後，才轉身往男湯櫃檯走去。

❀　❀　❀

五十分鐘後，他們幾乎同時出來，田元豐有點意外琇希第一次泡大眾池就可以泡這麼長的時間。

「妳也剛出來？」

「是啊！」她的兩頰還紅通通的呢！

「厲害厲害，第一次泡大眾池就可以泡那麼久。」很多人第一次會因為不自在而速戰速決。

「連我自己都嚇一跳，沒想到我有泡湯的天分。」

其實是裡面有很多歐巴桑都對她很「照顧」，教她正確的泡湯方法，然後和她天南地北的亂聊，不知不覺時間就過去了。

雖然大家都是赤裸裸的，不過卻不會有尷尬的感覺，她也只有在剛進去要脫下身上的衣服時有一點不自在而已，後來就漸漸習慣了。

田元豐揉揉她剛吹乾的頭髮。「看來以後我們可以常常出來洗溫泉嘍！」

他本來就常洗溫泉，這兩個星期為了陪她，幾乎都沒和大家一起去洗大眾池，對他來說，洗個人池就像洗澡一樣，都不如大眾池來得過癮。

既然她適應得很好，以後他們就多一個新的共同活動。

「哼啊，沒想到洗大眾池這麼過癮，不像個人池那麼悶，還有兩個好大的溫水及冷水池耶！」之前她沒去洗大眾池真是很可惜。

這是意料中的事，只要喜歡泡湯的人，都會愛上大眾池的。「肚子餓了吧？」

「你怎麼知道？」她用崇拜的眼神望著他。

「不然妳以為外面那麼多人是在吃火大的啊？」

「喔，生意人腦筋動得真快。」

這裡的雞湯和餐點雖然都不錯，不過他要帶她去吃更好吃的。「想不想喝熱騰騰的地瓜湯？」

「想！」她的口水都要流下來了啦！

「那趕快走，我也好餓。」這就是泡湯的壞處，泡完總想大吃一頓。

十五分鐘後，他們已經坐在竹子湖區的某家山產店大快朵頤一番，吃飽飯後還有免費吃到吐的薑汁地瓜湯任憑他們取用。

第八章

快樂的時光總是過得特別快，結束了兩週的環島行程後，田元豐和琇希還是得回到現實來。

他們提著各地的名產一起回到琇希家，想再努力試試讓李香吟接受他們，可惜他們還是一起被轟出來，而且兩人才走沒幾步，就看見他們買的名產從琇希家滑壘而出，躺在路中間哀嚎。

屋裡頭的李香吟還是一樣不斷的破口大罵，琇希本來想往回走將名產撿起，卻被田元豐阻止。

「東西已經送給伯母，她要怎樣處理是她的權利，別撿了，我們回去吧！」

他心裡又何嘗不難過？不管用什麼方法，李香吟就是看他不順眼，他已經不知還有什麼方法可用。

而這兩週以來，他和琇希幾乎天天打電話回家跟李香吟報平安，只是都換來李香吟大聲的怒吼及無情的掛電話對待而已。

「嗯。」

回到店裡，小羅和阿邦看到他們臉色鐵青也知道事情不妙，所以噤聲不敢貿然開口多說話。

「要不要上去休息一會兒，兩個禮拜沒睡好，上去補個眠會比較好。」他們出門不可能都住高級飯店，為了節省經費，難免會去住一些環境比較差的小民宿，男生多半因為當過兵所以可以適應，女生通常會不好入睡也是正常的。

「咳咳咳……」

阿邦和小羅在一旁不自在的咳嗽，他們想的可是另一方面的事；沒想到老闆變得這麼大方，連這種事都可以當著他們的面說。

偏偏琇希不知道他們已經想歪，還火上添油道：「不用了，是你比較累，我是享受的一方，所以不會累。」她指的是騎車。

「喔～～」阿邦抖抖身子，擺明告訴大家，他已經聽不下去了。

小羅很有風度的勾起笑容，繼續手邊的工作，假裝沒聽見。

「隨妳吧，要是累的話，隨時都可以上去休息。」田元豐也不勉強她，他自己也有事要做。

除了自己的車子要保養維護一下外，也準備進一批新的機車，所以事情比較多，總不能老是放給小羅他們做，長久下去他們也會抗議。

「好。」她其實打算到公司一趟，把一些事情交接清楚。

當決定和田元豐去環島時，她就已經向老闆提出辭呈了，一方面是怕她去上班的話，老媽會到公司堵她；另一方面是休兩個星期真的太久了，他們這種小公司容不得休這麼久，她也沒這麼多假可休，所以和田元豐討論後，決定辭掉工作。

老闆剛開始還口頭慰留一番，一聽到她要休兩個星期的假，馬上改變態度，即刻應允她的請辭。

因為走得有點倉促，所以很多事情沒交接清楚，為了怕老闆找她麻煩，扣押未付的薪水，還是回去講清楚會比較好。

「我想回公司一趟。」她需要車子，她是「走」出家門的，所以沒有摩托車，只能向田元豐借。

「公司?!不是已經辭掉工作了嗎？」田元豐不懂她為何還要到公司？

「有些事情沒交接清楚，怕老闆用這些理由扣薪水。」以她現在的處境，即使是一塊錢都不能讓老闆扣押。

「唔，我送妳過去。」拿起桌上的鑰匙準備出門。

琇希攔下他。「不用了，你才剛回來，很多事情要處理，我可以自己去，但是你要借摩托車給我。」

「好。」他確實有很多事情要處理，因此也沒有堅持。

交代阿邦把摩托車牽出來後，幫她戴上安全帽。「先帶著我的手機，有什麼事記得打電話回來。」他就像個不放心的爸爸交代一堆。

「喔。」她接過手機放入口袋，發動車子離開。

田元豐等到她過了路口的紅綠燈後才回店裡，利用琇希不在的機會詢問阿邦他們這兩個禮拜店裡的情況，重點當然是不知李香吟有沒有再來店裡擾亂。

「這幾天店裡沒事吧？」

「還好啦！來的都是一些小毛病，有我們在，哪會有什麼問題。」阿邦可驕傲的咧！這種能夠獨當一面的機會挺難得的。

「我想，老闆問的是頭家娘嬤的事。」還是小羅比較聰明。

「嗯，她有來嗎？」田元豐點頭，他確實比較關心這件事。

阿邦又搶著當發言人了。「當然有啊！剛開始一天來兩次，後來就一天來一次，明知道你們不在還是每天都來鬧，最後一次來是前天晚上，不過她是來放話給你們的。」

「她說什麼？」田元豐可以預期接下來的話應該會很難聽。

「她要我們轉告你們，她決定和琇希斷絕母女關係，以後老闆娘的死活都不關她的事，也不知她說的是真是假，不過至少她昨天真的就沒出現了。」阿邦對李香吟的話存著懷疑。

「知道了，忙你們的事吧！」剛剛李香吟也是說要和琇希斷絕關係後就把他們趕出來。

看來這個問題只會愈來愈複雜，愈來愈棘手。

※ ※ ※

琇希不但在田元豐家住下來，而且也回到公司上班，因為老闆根本找不到像她這樣物美價廉的員工，所以當她回去公司要交接時，老闆和老闆娘一起出面慰留，可說是誠意十足。

她考慮到這個工作已經做了很多年，而且如果離開公司的話，她還是得趕快再找一份新的工作，總不能真的都賴著田元豐生活吧？

現在鄰里間都知道她和田元豐同居且和媽媽的關係很差，幾乎到了仇人相見分外眼紅的局面。

即使她們偶爾遇見，李香吟根本連瞧都不瞧她一眼，要是剛巧撞見她和田元豐在一塊兒，那犀利怨恨的眼神簡直要把他們燒透！就連藍勝希也都因為要討好媽媽，所以一有機會就對他們冷言冷語。

鄰里間的耳語當然是一定會有的，只是他們早已做好心理準備，所以不管人家說什麼、講得有多難聽，他們一概不回應。

但是今天好像有些不尋常，大家騷動得很厲害，而且不斷對琇希家指指點點，感覺有點可怕，好像發生什麼嚴重的事一樣。

跟著跑出去的阿邦從外面走進來，看到琇希，神色變得不自在極了。

「外面怎麼回事？」田元豐問他。

阿邦支支吾吾的說不出話。

「趕快說啊！」小羅催促他。

「好像是頭家娘嬸家出事了。」很多人圍著，他也不是看得很清楚，只知道來了幾個像是黑道的人。

店內其他人開始騷動。

「出什麼事？」田元豐第一個起身。

「不知道，來了六個很壯的男人，現在在屋裡，看起來好像在和頭家娘嬤他們談判。」那種場面連他看了都覺得害怕。

琇希焦急起身。「我回去看看。」

「我跟妳一起回去。」田元豐反而率先走在前面。

這時候已經管不了什麼斷不斷絕關係的問題，還是先回去看看發生什麼事，也許他們可以幫得上忙，畢竟這個安靜的小村落還沒發生過像今天這樣「驚天動地」的大事。

不只他們，阿邦和小羅也跟著出來，田元豐沒有反對他們一起去，但是總要有人顧店，所以將阿邦留下。

他們用小跑步的方式來到琇希家門前。

圍觀的人看到琇希他們出現，馬上向兩旁靠退，讓出一條路給他們過。

只見藍家大門緊閉，裡頭傳來男人粗嘎的咆哮聲，卻聽不清楚他們的談話內容。

田元豐試著扭動門把，門卻從裡面反鎖。

「鎖著的。」田元豐轉頭跟琇希他們說。

「怎麼會鎖著?這樣很危險，為什麼會這麼傻鎖門呢?」小羅皺著眉頭，完全不贊成鎖門的舉動。

「怎麼辦?我沒有鑰匙。」隨著裡頭愈來愈大聲的咆哮聲，琇希的心臟也跟著用力撲通跳。

她離家時帶的那副鑰匙早就已經不能使用，因為李香吟在宣佈和她劃清界線後，就把門鎖全部換過，和她斷絕關係的決心很堅決。

田元豐用力往上跳，想看看裡頭的狀況，卻什麼也看不見。

正當他考慮著是不是要和小羅一起翻牆進去時，裡頭的門卻開了。

六個如阿邦所描述的壯漢依序走出來，對於圍觀的民眾視若無睹，應該是說他們早已習慣這種被圍觀的場面才對。

即使他們已經上車離開，圍觀的人群還是沒有散去，反而愈來愈多人向這邊靠攏，對他們議論紛紛。

田元豐他們趁亂進入藍家，李香吟和藍勝希坐在椅子上，兩人看起來都驚魂未定。

「媽。」琇希開口喊李香吟。

李香吟和藍勝希同時抬頭。

「妳來幹什麼？還有你們，誰准你們進來了？滾！」李香吟正值惱羞成怒之際，他們的出現只會讓她更為光火。

「媽，發生什麼事了？」琇希不管她如何叫囂，她現在只想知道到底發生什麼事？為何家裡會有這麼複雜的分子進出？

「關妳屁事！跑都跑了，何必回來假惺惺。」李香吟打從心底看不起田元豐，當然不認為他們的出現能為他們帶來什麼轉機。

看見李香吟不領情，田元豐忍不住插嘴道：「伯母，我們來是想幫忙解決問題，不是來增加妳的麻煩。」

「不必！你們馬上滾出去，我就不會氣成這樣。」將剛剛不敢發的氣一股腦全發洩到他們身上。

琇希乾脆轉移目標。「勝希，到底發生什麼事？那些人是幹麼的？」

藍勝希瞅她一眼，卻沒開口。

一旁的李香吟氣不過，對她大聲吼道：「都是妳！什麼人不要，偏偏跟上一個沒用的黑手，現在家裡出事了，他能幫上什麼屁？要是我們有個什麼閃失，妳也別想獨活！」

「伯母，你們不說是什麼事，怎麼知道我們幫不上忙？」田元豐覺得現在不是責難誰對誰錯的時候，最重要的是先解決事情。

「哼！幾十年的鄰居了，你老爸有幾兩重我還會不知道嗎？走的時候除了那棟老房子外，根本沒留下什麼給你，我看你連自己要生活都有問題了，還想幫我們?!少在那裡假好心了。」

她壓根兒瞧不起田元豐，不認為他有辦法替他們還清債務，也沒什麼有力的背景可以幫他們擺平這件事。

「我們母子倆還有話要說，不需要你們來同情，通通都可以滾出去了。」

李香吟急著要和勝希討論，其實她也不是很清楚到底發生什麼事，只知道對方是來找勝希要錢的，好像是跟他新買的車子有關。

「媽～～」琇希還不放棄。

「誰是妳媽？不要亂叫！再不出去，我就報警告你們私闖民宅。」

對那六個流氓都沒用這招，卻反而用在自己女兒身上?! 李香吟似乎愈活愈回去嘍！

眼見再僵持下去也不會有結果，田元豐和小羅只好先把琇希「架」回車行，打算等想到其他辦法時再說了。

屋內終於只剩下李香吟和藍勝希，李香吟先將大門反鎖，以免又有好事者闖入，擾亂她和兒子談話。

藍勝希已經做好心理準備，他剛剛保持沈默不發一語的原因是在想藉口，暗自盤算著要怎樣才能瞞過李香吟？

「現在都沒人了，快跟我說你到底捅了什麼樓子？」即便黑道都已經上門，李香吟對待藍勝希還是輕聲細語，充滿母愛。

「哪有什麼樓子？不就是車款比較慢匯而已啊！」藍勝希真的很敢說，他才不是延遲匯款，根本就是沒付款。

他現在開的那部進口轎車只付了頭期款，後面的分期根本繳不出來，積欠了六期之後，車商就開始找他要錢，他左閃右躲就是不繳錢，逼得車商只好找「專業人士」來處理這件事。

「但是他們怎麼說你都沒付錢？」她剛剛是聽到他們這麼說的。

「他們那種人說的話哪能信啊！當然是說得愈誇張愈好，唬到一個賺一個，這種沒本的生意他們當然要兇一點，這樣才有賺頭對不對？」他沒料到車商會叫專業的討債公司來，其實他心裡比李香吟還害怕。

比起那六個流氓，李香吟當然是選擇相信自己的兒子，不過還是有疑問。

「那他們為什麼就偏偏挑上我們？」

她聽過現在有很多詐騙集團會打電話威脅人騙錢，但沒聽過這種親自上門來的。

「剛不是說了嗎？我只是比較慢付款嘛！他們就抓著這點想多撈點錢，妳別這麼緊張。」他真的慘了，對自己的媽媽說謊都不會臉紅，還理直氣壯，到時怎麼死的都不知道。

「那現在要怎麼辦？」她是個很愛面子的人，琇希的事已經讓她在鄰里間抬不起頭來，靠著到處說田元豐的壞話才覺得比較好過，現在又加上勝希發生這樣的事，她都不知道要怎樣出去面對大家了。

藍勝希起身拍拍她的肩膀。「沒什麼大不了的，我明天去繳錢就是了。」其實他已經打算好短時間之內不會再回家，先避避風頭再說。

「嗯，記得明天就去繳，免得夜長夢多。」也只能這樣了。

藍勝希向她伸出右手。

李香吟先是看著他的手，然後驚詫的抬頭。「幹麼？」

「錢啊！沒錢我怎麼繳？」要避風頭也需要一些跑路費才行。

「什麼?!我哪還有錢？上次幫你繳頭期款就已經沒了，現在每個月還要拖三個死會，我哪還有錢給你啊！」李香吟是真的沒有錢了才會這樣拒絕他，否則她一向任他予取予求。

「那就沒辦法了，只好讓他們繼續上門討債。」他雙手一攤，滿臉無奈的神情。

「這怎麼可以?!我還要做人哪，要是一天到晚都有這種人上門討債，肯定會被鄰居笑死！」她可經不起那些流氓三不五時上門摧殘。

藍勝希還是一副無可奈何的模樣。「沒辦法，我還沒升官，每天又要忙著和總經理的女兒約會，約會就是要花錢啊！總不能讓女生出錢吧？」

他根本沒和總經理的女兒見過面，甚至連總經理有沒有女兒他都不知道，還提什麼約會?!他買車的目的其實是為了開車到各種酒吧把女人。

「真的啊！那你們總經理的女兒喜不喜歡你？你們總經理怎麼說？」果然成功轉移李香吟的注意力。

「那還用說嗎？妳對我就這麼沒信心啊！」瞧他說得像真的一樣。

「那……約會這麼久了，她也有坐到車子，請她幫個忙沒關係吧？」她都還沒坐過那台貴得嚇死人的車子呢！

「拜託～～那還搞個屁？人家八成馬上轉頭走人！像她這樣顯赫的家世背景，公司有多少人在追，我怎麼敢開這個口啊！」藍勝希扒扒頭髮。「妳也不想想，為了追到她我們付出多少的苦心，妳看妳還這麼辛苦的標會給我，結果卻要我跟她開口借區區的十萬元?!不把人家嚇跑才怪!人家也會擔心我們是不是覬覦她的財產好不好?」省一點的話，十萬元應該夠他躲一個月吧?

「十萬?!怎麼這麼多?當初不是說一個月只要繳四萬多嗎?」李香吟眼珠子都要掉出來了。

「總共有三期沒繳啊!再加上利息早就超過這個數目了，我自己都還要貼一點耶!」他真是愈來愈佩服自己，反應怎麼這麼快啊!

「那不然怎麼辦?我真的拿不出這麼多錢。」

藍勝希早就想到辦法了，卻還裝模作樣的跟著陷入苦惱，等過了幾分鐘後才假裝靈光乍現。

「有了，妳跟隔壁的王大嬸不是很好?跟她借來周轉一下不就得了。」

「她?!不可能，要不是她胡亂傳話的話，你姊的事會搞得這麼爛嗎?」琇希會離家出走，王大嬸功不可沒，要不是她從中挑撥，她和琇希的關係也不會鬧到這麼僵。

反正都是別人的錯就對了。

「那不然就找田元豐啊！妳辛辛苦苦才養大的女兒就讓他這樣白吃白喝啊？當然要去找他拿點本回來。」這才是他真正的答案，新仇加上舊恨，不跟田元豐拿個幾十萬來花花怎麼行？

「不可能！拿了我不就矮他一截了？這種事我死也不做！」之前她都把話說絕了，怎麼可能再回過頭求他?!

「那怎麼辦？」這次換他問了。

「我再想想辦法，晚點再看看。」

這對李香吟來說太掙扎了，過去日子再怎麼苦，她也從不向人伸手，連一塊錢都沒向人借過，現在卻可能為了十萬塊而壞了她的「名節」，她當然要好好思考一番才行。

「好。」

藍勝希看起來輕鬆極了，反正籌錢的事就交給老媽去辦嘍！

第九章

阿邦正在幫隔壁巷的徐大嬸換機油，徐大嬸則走進店裡找琇希聊天。

「琇希，妳真的這麼無情喔？都不管妳媽和妳弟了啊？」徐大嬸隨口提起。

琇希一頭霧水。「什麼？」

徐大嬸看她一副什麼都不知道的模樣，馬上擔起長舌的責任。「之前人家到妳家找妳媽他們討債的事，妳總該知道吧？」這件事可是轟動整個村里鄰，想不知道都難。

「嗯，不過我媽不肯說是什麼原因，您知道嗎？」好不容易終於有人願意告訴她，當然要好好把握。

徐大嬸當然願意說呀！整個地區大概就他們這間店裡的人不知道這件大事，她挺同情他們的，尤其是琇希為愛願意犧牲一切的做法，令她心疼極了，不過要換成是她的女兒敢這樣做的話，只有一個字——死！

「聽說跟妳弟有關。妳媽真的被他整慘了，為了『孝順』妳弟弟，扛三個死會，每天熬夜做手工，一雙手都被白膠、鐵絲給弄爛了，前一陣子還跟隔壁庄的借錢，借錢耶！妳媽從不向人伸手的，這次卻為了那個不孝子伸手，還跑到隔壁庄借，就是怕我們知道啊！」大家都知道李香吟是出了名的愛面子。

「那現在呢？」琇希已經很多天沒看到媽媽，不曉得事情解決了沒？

「唉～～」徐大嬸非常戲劇化的嘆口氣。

「怎麼了？」看來情況不妙。

徐大嬸先睞她一眼後才開口。「妳那個沒用的弟弟不知躲到哪兒去了，都沒回家；妳媽媽更慘，學人家倒會，現在也都避不見面，也不知道是不是躲在家裡，反正都沒見她出來；會腳天天上門找她，她不出面就是不出面，氣得人家揚言要潑糞撒冥紙。妳媽一直都給人堅強好勝的印象，會走到這地步，還不都是妳那個沒用的弟弟害的！」現在大家對藍勝希的印象，比當初的田元豐更壞上千百倍。

她拉著琇希的手，軟聲相勸。「妳媽現在只能靠妳了，別看她嘴巴嚷著要和妳斷絕關係，私底下還是挺關心妳的，上次老周拿妳和元豐的事開了個小玩笑，妳媽差點和他火併！找個時間回去看看她，她辛苦把你們姊弟拉拔到這麼大，沒有功勞也有苦勞，你們都棄她而去，我還真擔心她會一時想不開，做出什麼傻事。」

雖然大家都愛看熱鬧，不過惻隱之心總是有的。

「我知道，我會找個時間回去的。」琇希鼻酸的應允。

阿邦進來通知徐大嬸車子已經好了，徐大嬸付錢後離開，琇希頹然的坐回椅子上。

聽到母親變成這樣，她的內心無比痛苦與難過。

媽媽在受苦受難，她卻在這過安逸舒適的生活，真正不孝的是她啊！

「阿邦，我出去一下，你們不用等我吃飯了。」她想先回家看看。

「那老闆回來時要怎麼說？」老闆回來一定會問她去哪裡了。

「就說我去逛街。」

「喔。」

看她眼睛鼻子都紅紅的，他也不敢多問。

白癡都知道琇希不可能自己一個人出門逛街，他還是另外想個理由好了。

✽ ✽ ✽

琇希雖然回到家，但是大門深鎖，不管是按電鈴還是打電話，屋裡頭都沒有動靜，她只好頹然離開。

不過她馬上拿起手機打電話給藍勝希，先找到他再說，他算是罪魁禍首。

幸好藍勝希雖然躲起來了，但是手機還是有開機，所以試了幾次後，她還是找到他，並約了在新竹見面。

「找我有什麼事？」藍勝希看起來依舊神清氣爽。

看他還是這麼「意氣風發」，讓琇希很想甩他兩巴掌！

但她又有什麼資格呢？自己還不是躲在田元豐後面過著安逸的日子。

「聽說你欠人家錢不還是嗎？」難得對弟弟這麼嚴肅。

「哪是欠！不過就是幾期車款沒繳而已。」藍勝希還是一副吊兒郎當的樣子。

「媽在哪裡？」她認為他應該知道才對。

結果他比她還驚訝。「媽?!不就在家嗎？除了窩在家裡，她還能去哪裡？」李香吟就像以前的琇希一樣，沒出過幾次遠門。

「我去看過了，雖然進不去，但是不管按電鈴還是打電話，屋裡都沒有動靜。你多久沒和媽聯絡？多久沒回家？」

「就上次到現在啊！」為了怕討債公司找到他，他可是連工作都辭了，「只」靠李香吟分好幾次陸續匯給他的十萬元過日子。

他可是想了好幾個理由才說服媽媽他很忙不能回家，要她用匯款的方式。

「上次是什麼時候？」她怎麼會知道他的上次是多久以前？

藍勝希一口氣將眼前的飲料吸乾。「就討債公司來那一次，妳不是也有回來看熱鬧？」

「這麼久了，你都沒和媽聯絡?!」那已經是一個多月前的事了。

藍勝希聳聳肩，意思就是沒有。

「到底欠多少？」

「二十幾萬吧！」反正從一開始就沒繳。

琇希瞪他。「你知道媽為了幫你籌錢倒會的事嗎？」

「真的?!吁～～幸好我沒回去。」完全是「好里佳在」的神情。

琇希再瞪他，用力瞪他。「難道你都不擔心媽嗎？你又能躲多久？媽垮了，你也一樣完蛋！」這句話憋在她心裡已經很久了，早就預料到總有一天藍勝希會被寵出問題來。

「妳自己還不是一樣？行李拎著就跟人家跑了，妳就比我孝順?!」藍勝希絕不是那種會傻傻坐著讓人罵的人。

「我……」她確實沒有比他好。「算了，家裡的鑰匙給我，我回去看看媽的狀況。」除了了解實際狀況外，最重要的就是要找他拿鑰匙。

「鑰匙給妳，那我怎麼辦？」他總不可能永遠不回去。

「你有打算要回去嗎？而且如果是你，媽一定願意開門，我就算喊到死，媽也不會理我，不然就我們一起回去。」

「我幹麼跟妳回去。」他才不想自投羅網咧！「要回去妳自己回去，待會兒出去打把新的不就得了，何必要一起回去？」

「好，那你把車商的資料給我。」她早就料到他不會跟她一起回去了。

「要幹麼？」

「總要先解決債務問題。」

不只車商那邊，還有倒會的部分也要處理，以她每個月兩萬出頭的薪水根本負擔不起，這點她比誰都清楚，但是，就算明知道不可能還是要做。

「妳有辦法？」藍勝希終於有點感興趣了。

琇希搖頭。「沒有。」

「嗟～～那就算給妳是有個屁用喔！」藍勝希眼神又黯淡下來，縮著肩膀退回椅子裡。

「總要想辦法。」

「對啦對啦！妳回去找田元豐幫忙好了，他那間小車店應該還值幾個錢，可以還清債務。」講得好像人家本來就應該要幫他一樣。

「我沒打算跟他說。」從她離家到現在，已經給田元豐帶來不少麻煩，總不能要他包山包海，把藍家的事全包了吧？

「那妳不就白白被他吃了？呿，這種虧本的事妳也做。」都同居這麼久了，絕不可能只是蓋棉被純聊天；她還真不像藍家人，也不懂得從田元豐身上撈點好處，竟然白白倒貼人家。

琇希懶得回應。

「藍勝希，終於肯出來啦！」四名理著平頭、黝黑高大的壯漢分別站在他們這桌的桌角處，其中一名對著藍勝希冷笑。

他們分別在藍勝希的公司及住處派一個人守著，打算一見到他出現就逮住他，結果有一次讓他從防火巷逃掉後，就沒見他再出現，本來以為他是換地方躲，正打算把人撤回來重新計劃，卻在今天看到他躲躲閃閃的走出租屋處，站崗的人二話不說馬上跟上，並且連絡同伴過來。

藍勝希瑟縮在椅子內，嘴唇抖個不停，完全沒有剛剛面對琇希時的犀利模樣。

「要你還錢你就躲起來?!沒那個屁股就別開這麼好的車呀！搞得你媽都快得神經病了，你卻逍遙的在外面泡馬子，羞不羞恥啊！」說話的壯漢以食指用力推藍勝希的頭，就像媽媽在教訓兒子一樣。

「用說的就好，請不要這樣動手動腳。」琇希阻止他們繼續動手。

「喲～～臭小子不錯嘛！交個挺漂亮的馬子，還願意幫你說話。」

「我是他姊姊，不是女朋友。」這個時候敢這樣大方承認和藍勝希是姊弟關係的，大概就只有她這個老實人了。

帶頭的壯漢睞了其他三個男人一眼，這一眼的意思是——他們怎麼會漏掉她?!

通常他們都會先將對方的家世調查清楚，怎麼這次會漏掉這個姊姊咧？

「是姊姊呀！那就好辦了。」帶頭的男人低下頭對琇希說：「妳弟弟的事跟妳談可以吧？妳弟像個孬種躲起來，妳媽快瘋了，看起來就妳最正常。」

「他欠你們多少？」到現在她連確定的數目都不知道。

「妳這個弟弟沒錢還要學人家開好車，繳個幾十來萬的頭期款就想買兩百多萬的名車，要是多幾個像他這樣的人渣，車行早就關門了！他從第一期就沒按時匯款，到現在已經累計八期了，一期四萬八千九百八十元，算四萬九就好，八期多少錢妳自己算吧！」這價錢可還不包含他和這些兄弟的走路工喔！

琇希在心裡驚呼，三十九萬多?!她一時要上哪湊啊？

「我們家確實開不起這種好車，所以可以請你們把車收回去，欠的錢從頭期款扣掉，餘款請還我們。」琇希的想法很單純，完全不知道車商也會有黑暗面。

所有的壯漢都笑了，笑她的無知。

帶頭的壯漢嗤笑道：「妳還真天真，車子都開了八個月還敢說要還我們？甚至想退錢?!妳當車行是傻子啊！我就乾脆講明白點，三天，我給妳三天的時間籌錢，三天後我會直接到妳家收錢。」

「那不然你們把車收回去，頭期款我們不要這樣總行了吧？」琇希仍嘗試解決。

「錢繳不出來，車子收回是一定要的，不過欠的錢還是要還，八期的分期一毛都不准少，沒錢的話……你們就準備一副棺材裝他吧！」眼睛瞪向藍勝希。

藍勝希縮縮肩膀，他終於知道事情的嚴重性了。

「記住啊！三天，三天後我會帶更多人到妳家收錢，這是最後期限，要是再沒有，那就別怪我們不客氣！」

帶頭的男人撂下狠話後，領著其他壯漢離開，留下藍家姊弟默默相對。

✽　✽　✽

田元豐覺得琇希有心事，而且從她凝重的表情可以看出，是件挺不好的事。「昨天去哪裡？」

本來他是不會像個疑神疑鬼的丈夫什麼事都要管，但是她從昨天回來後就一副心事重重的模樣，讓睡在她身旁的他都感受到無比沈重的壓力，所以直接問她昨天外出去哪裡？他相信她的心情不好絕對和昨天出去有關。

「什麼？」正對著電話發愣的琇希被他嚇了一跳。

「昨天下午妳不是出去，去哪裡？」

琇希思索一會兒後才回答。「到處逛逛。」

「那怎麼沒找我一起？」鬼才相信這個爛答案。

「嗯……那時你剛好不在。」這是實話。

「那妳可以等我回來啊！應該不差那點時間吧？昨天我回來時，阿邦說妳剛走五分鐘。」昨天他回來找不到她，阿邦說她去逛街時，他就覺得奇怪，後來想想她可能只是出去透透氣，也就沒追究。

「嗯……」她真的不擅說謊。

田元豐哂然一笑，該是談開來的時候了。「我想妳應該把心事告訴我，放在心裡不只妳難過，我也不好受。」

「你——」她很訝異他為什麼每一次都能輕易的看穿她？

「昨天夜裡妳已經嘆了不下二十口氣，翻了無數次的身，除非我重度昏迷，否則很難不發現妳有心事。」昨晚他也跟著失眠。

即使是枕邊人，琇希對他還是感到抱歉。「對不起，吵到你了。」

田元豐輕嘆。「妳把焦點模糊了，我是問妳有什麼心事？不是要妳道歉。」

「喔。」

就這樣?!輕應一聲後就沒下文，差點讓田元豐急死。

「妳不告訴我，我可能得陪著妳連續失眠好幾個晚上。」

「那我們分房睡。」這樣他就不會失眠了。

這個答案簡直讓田元豐哭笑不得。「妳是想整死我嗎？這比妳在我身邊唉聲嘆氣還要慘。」

「是你說我害你失眠的啊！」她可不是在開玩笑。

「笨蛋！」看得出田元豐快要抓狂。「把心事告訴我！」除了語氣強硬外，全身上下及態度更是堅定無比。

琇希第一次看到他這一面，有點被他嚇到。「原來你的脾氣這麼差。」

「我——」他快瘋了！她這顧左右而言他、浪費版面的態度，讓他鬱卒到極點。

田元豐連續用力深呼吸兩次，緩和情緒後才又開口。「我相信一定是很棘手的事情才會讓妳這麼心煩，與其自己在那邊焦躁不安，不如多一個人幫忙分擔，如果妳把我當『自己人』的話就告訴我，不然就表示妳根本不信任我。」

「但是……」但是她不想再增加他的麻煩呀！

田元豐已經失去耐性，揚起一邊眼眉。「嗯？」

怎麼有這麼扭捏的女生啊！

「跟妳家有關？」能讓她這樣憂愁就只有家裡的事了。

「你怎麼知道？」她都沒跟任何人說耶！

田元豐提醒自己絕對不可以翻白眼，這個老實的小笨蛋。「妳的表情告訴我的。」

「喔。」

「妳是要我拿鞭子逼妳，還是自己趕快說出來？」他耐性盡失嘍！

「是我家的事沒錯，可是實在不應該把你扯進來……」場面話還沒說完就被他粗聲打斷。

「囉嗦！」

「我弟買了一台進口車……」琇希不敢多說廢話，只好將事情和盤托出。

雖然大概猜到是家裡的事，卻沒想到只是為了一部車而搞得藍家雞飛狗跳，田元豐認為應該要把藍勝希再抓過來電一電才對。

「所以妳答應對方要在三天內湊出錢來？」果然是個老實的小笨蛋，什麼事都往身上攬。

琇希先是點頭，後來又馬上猛力搖頭。「不是我說的，是他們說只給我三天的時間。」當時都是對方在主導，根本不給她講條件的機會。

「關於車子的事妳別管了，就交給我處理；伯母倒會的事比較棘手，先找到伯母了解細節後再說。」

「嗯，勝希有給我家裡的鑰匙，剛才我本來是打算要回去看看的，不過被你攔下了。」昨晚回到家時已經太晚，所以沒回家，剛才正要出門就被他攔下。

「我和妳一起回去。」他不可能讓她一個人獨自面對。

這次琇希沒意見，她確實需要一個人陪，來增加她的勇氣。

❀ ❀ ❀

誠如他們所猜測的，李香吟確實是將自己關在家裡沒錯，龐大債務的折磨讓她不再氣焰高張，連罵人的氣力都沒了，看到琇希和田元豐雖然還是擺個臭臉，至少不像往常那樣激動罵人。

最後經過他們的遊說後，她甚至願意接受田元豐的建議，由他出面幫忙解決車貸及倒會的債務問題，這時候也只有他願意理他們了。

關於車債的部分，他當然不可能將血汗錢給那些整天只要耍耍流氓就可以吃香喝辣的小「俗辣」，他打了通電話給一個台北的車友，請他出面協助解決這件事。

對方可是非常樂意幫田元豐，才撥幾通電話就把事情搞定，隔天車商立刻找上藍勝希收車，並將一半的頭期款退回給琇希，明快的處理作風讓琇希瞠目結舌。

這個時候她才知道，原來騎重型機車的車友不見得都是市井小民，根本就是臥虎藏龍！

田元豐所找的這個車友是汽車業界的大亨，平日上班坐的是黑頭車，假日卻特愛「自己」騎重機和車友到處晃，對於田元豐的修車技術可是佩服得很，除了自己以外，其他唯一可以碰他百萬名車的人就只有田元豐，這就是為什麼田元豐只是打一通電話給他，他就馬上一口答應的原因。

他是個愛才惜才的人，一旦受到他肯定，他就絕對不吝付出。

解決了車貸以後，剩下的就是比較棘手的倒會問題。

田元豐將原本要用來整修店面的存款，幫李香吟解決了這次的債務問題，李香吟嘴巴雖然不說，心裡卻高興得不得了，她終於又可以走出屋外呼吸新鮮空氣了。

但是，她並沒有向田元豐道謝，對他的反感也沒有完全褪去。

藍勝希知道是田元豐解決他的車貸問題，態度馬上來個一百八十度的大轉變，還主動到店裡叫人家姊夫。

「姊夫，你什麼時候要娶我姊啊？」藍勝希坐在工作室的地板上問田元豐，還姊夫姊夫的叫人家，嘴巴可甜的咧！

「等伯母同意吧。」田元豐回答得很認真。

被藍勝希「承認」，他當然高興，至少他和琇希的戀情終於看見一道曙光了，不過他也沒因此被沖昏頭，對藍勝希該說的、該唸的，他一個字也沒少。

另外，他還另外幫藍勝希安排在車友的公司上班，一方面是讓他有份穩定的工作，另一方面則是藉此監督他，讓他不能再搞鬼。

他田元豐可不是真的家財萬貫，這一次已經重傷到內外都出血了，可經不起第二次的打擊。

「那你可有得等了。」他現在放假就回苗栗，然後幾乎都往摩托車店跑，他最新的目標就是想擁有一台像田元豐一樣屌的哈雷。

田元豐苦笑。「我知道。」債務問題解決了，李香吟看到他還是面無表情，表示他還有努力的空間。

「要不要我幫你？」就算捅了一堆樓子，他可還是李香吟的寶貝兒子。

「不用了，自己的問題自己解決。」他可不想他的婚姻是靠藍勝希耍嘴皮子求來的。

藍勝希拍拍他的肩膀。「欸，你知道要我媽點頭答應你們的事有多難嗎？」

「不管多難都要突破。」田元豐低頭清理車友的化油器。

「好，有志氣！」藍勝希拍手叫好，但是馬上補充一句。「但是我媽可不是有志氣就可以搞定喔。」言下之意，就是只有他能搞定啦！

「嗯。」

琇希從樓上下來，看到藍勝希驚訝地問：「你怎麼又來了?應該在家多陪陪媽才對。」

她不是不高興看到弟弟，只是希望他多陪媽媽。

現在她雖然可以隨時回家，但是李香吟還是不太和她說話，雖然難過，但只要媽媽好就好。

「是媽叫我來的啊！」

這句話猶如一顆丟到大海中的炸彈般令人震撼，讓田元豐和藍琇希瞠目瞪他，卻一句話也說不出口。

藍勝希見狀，超想丟兩粒 Air Waves 超涼口香糖給他們的喉嚨清涼一下。

「你說是媽要你來的?!」琇希完全是懷疑的口氣。

「是啊！她要我帶話給你們。」

「什麼？」他們異口同聲的發問。

「要你們明天回家吃飯。」其實這算是他的功勞啦！要不是他每次回家就說田元豐的好話，然後又三天兩頭往摩托車店跑、讓李香吟看不到他，李香吟絕不會這麼快就「棄械投降」。

「什麼?!」這次可更大聲了。

「唉～～本來想說用這個利多消息來交換騎個五分鐘的哈雷，現在看到你們這副彷彿吃到『賽』的模樣，也算值得啦！記得明天中午準時回來哈，我可是不會餓肚子等你們，拜啦！」瀟灑的揮揮手離開工作室，到外面找阿邦抽菸聊天去了。

第十章

坐在藍家的餐桌前，田元豐就算兩腿抖個不停，桌面上還是力求鎮靜。

李香吟煮了滿桌子的菜，表情看起來卻一點也不熱絡，好像是被逼迫的一樣。

「媽，大家看見妳這副討債神情，誰還吃得下去啊？明明一大早就起來準備的，幹麼還要故意擺臭臉、假裝不在乎的樣子？」藍勝希理所當然負起協調的責任。

李香吟瞪他兩眼，沒開口回應。

藍琇希幫田元豐添飯，然後也只是低頭默默吃飯，不敢搶先發言。

「誰來說句話好不好？氣氛這麼沈悶，會消化不良的欸。」藍勝希受不了這種沈悶的氣氛，他覺得眼前的山珍海味都變味了。

大家把注意力都放在李香吟臉上，她這個做長輩的沒開口，藍琇希和田元豐也不敢先插話。

「多吃一點，不要剩。」好啦！李香吟終於應大家要求開金口了，雖然只有七個字，至少聊勝於無。

藍勝希差點噴飯！

這是什麼開場白?!

「媽，妳是在說天方夜譚喔？這麼多怎麼吃得完？」就算再來七、八個人，也無法將滿桌子的菜給全部吃完。「啊～～我知道了，妳一定是因為對姊夫太不諒解了，所以想把他撐死對不對？」

真是個冷到極點的冷笑話，不但所有人都沒笑，而且氣氛更是「監介」到了最高點，田元豐除了低頭努力吃飯外，什麼話也不敢多說。

「八字都還沒一撇，別姊夫姊夫的亂喊。」李香吟斂著眉頭制止藍勝希。

「拜託～～他們都在一起這麼久了，不叫姊夫要叫什麼？何況姊夫做的可比一般正牌的女婿要多出許多，這樣妳都還不願承認他，真是冷血喔！」現在他可是一面倒的靠向田元豐這邊。

「千萬別這麼說，我並沒有做什麼事。」田元豐趕緊開口緩頰。

藍勝希是寶貝兒子，說話可以沒大沒小；他是顧人怨的田家小伙子，怎麼可以拿出來相比呢？

「唉……你做了多少事大家都很清楚，只是有人死鴨子嘴硬不肯承認而已。」藍勝希火力愈來愈旺。

因為對象是藍勝希，所以李香吟才會任由他這樣一路虧到底；換作別人，她早就翻臉了！

不過自從發生倒會事件之後，她確實收斂不少，幾乎不罵人了。

「好啦，你要是吃飽了就滾一邊去。」再讓他說下去，她就連一點長輩的面子都沒有了。

「我當然還沒飽！那妳好歹也說些話啊，請人家到家裡來吃飯，卻擺個臭臉又不說話，讓人很懷疑妳的誠意欸。」截至目前為止，他應該可以功成身退了。

李香吟今天很喜歡用白眼看藍勝希，這會兒，她又白了他兩眼。

「你有打算娶我們家琇希嗎？」李香吟終於願意面對他們的問題了。

田元豐趕緊將嘴裡的菜吞下去。「是。」

「你要拿什麼娶她？」這是她過去一直最在意的，現在雖然有改變，但也不接受草率的態度。「總不會以為牽著她的手走回車店就好了吧？」

「當然不！如果伯母同意我們結婚，我希望依照伯母的意思。」田元豐可是戰戰兢兢的回答。

「你確定你都做得到？」李香吟揚起眉頭睞他。

琇希也覺得田元豐這樣的答案很勉強，萬一老媽獅子大開口怎麼辦？她急切的想先為他解套。「媽，元豐他最近比較……」

後面的話在接到李香吟的白眼對待後，全數吞回肚子裡，嗯……她吃飽了。

「媽，別忘了姊夫之前是怎麼幫我們的，要求可別太誇張嘿！」藍勝希也跳出來說話。

「我不開口，你就在旁邊嘀嘀咕咕的非要我講話；等我開了口，講沒兩句話，你又在旁邊唉唉叫，怕我把他給吃了。到底我能說什麼，乾脆你來教我吧！」

李香吟感到有點懊惱，原來在一對兒女的眼中，她已經比田家小子還不如了，瞧他們搶著發言護著他，心裡還真不是滋味。

琇希維護他沒話說，連勝希都這樣一面倒，她就不太爽了。生他、養他的可是她這個做媽的，結果田元豐不過賣點人情，請人解決車子的事，他就把人家視為當然的姊夫?!她會感到不平衡也是應該的。

她心裡對田元豐也挺感謝的，要不是他及時伸出援手，恐怕她一輩子都會在鄰里間抬不起頭來，但是對於琇希和他的事，她還是要有所堅持。

「我只是提醒妳而已，不然從現在開始，我都不說話總行了吧？」藍勝希乾脆低頭努力扒飯，當個隱形人。

田元豐不希望他們為了他而和李香吟發生不愉快，只好開口道：「我會盡全力達到伯母的要求。」

其實他手上根本已經沒有籌碼，大半的存款都拿來解決倒會的事，但是他知道，這個絕不可以拿出來當理由，否則他和琇希的事就更沒希望。

李香吟微微點頭，表示還算滿意他的回答。

除了她以外，另外三個年輕人可是如坐針氈等她開金口，動也不敢動一下，深怕隨便一個動作都會影響到接下來要提的條件。

「我看我們琇希所表現出來的態度是非你不嫁。」她得承認是自己的女兒不爭氣在先。

「我也同樣非她不娶。」田元豐赤裸裸表明心意。

「好，既然這樣，那就來談談你們的婚事。」

三個年輕人差點跳起來歡呼，因為李香吟終於承認田元豐了，而且等於已經答應他們的婚事。

高興歸高興，田元豐可不敢表現在臉上。「是。」

「因為你爸爸不在了，你可不可以接受一切由我做主？」李香吟瞪視著他，談婚事就是要像她這樣，先把氣勢擺出來唬唬對方，才能談到比較好的條件。

「好。」他本來就是這樣打算。

琇希和勝希同時想開口制止田元豐，卻又同時噤口，因為這個時候要是有人開口說話，很可能就會談不成，倒不如先聽聽李香吟的意見，如果她真的開出不合理的條件時，再來「議價」。

「首先，你得先把機車店重新整理過，我不喜歡有個髒女婿。你不是有在幫人家做什麼重型機車維修嗎？我聽說那種車子一台都要好幾十萬，是有錢人在玩的，你為何不乾脆將店面改裝成專營重型機車買賣維修？」說穿了，她還是抱著攀上有錢人的希望。

田元豐面有難色。「嗯……這點恐怕會有點困難。」

「才第一點你就有困難，那要怎麼談下去？」李香吟擺臉色給他瞧。

「伯母您聽我解釋！目前雖然我有做重型機車維修的工作，但純粹是因為興趣，一般機車買賣維修才是我的本業，如果完全要改變成重型機車店，除了重型機車普及率並不高以外，也要考慮這邊的鄰居。

「以前大家都是要騎到比較遠的機車店維修，現在附近的鄰里幾乎都到我店裡，要是改成重型機車店，他們又要回到以前，這樣對大家、對車店都不好，所以我希望還是維持目前的模式，兩者並存並不會衝突，而且收入會比單開重型機車店好上許多。」

雖說維修重型機車的費用會比較高，但是次數並不多，加上這裡又是鄉下地方，客源有限，肯定比不上大都市，現在找上他的客人，都是以老客戶居多。

「你說的我都懂，但是我就是不喜歡看到你全身黑黑髒髒的，尤其是手，我實在受不了你們這些搞機車的手，永遠都是洗不乾淨的模樣。」她原本是要一個金龜婿耶！既然來了個烏龜婿她也沒辦法，只能儘量要求他配合了。

「即使改成專門做重型機車，也是免不了會弄髒衣服及雙手，我只能跟伯母保證，工作以外的時間我絕對保持乾淨清爽，就像現在，伯母覺得我還是髒兮兮的嗎？」今天他可是有特別打扮過的。

現在的他確實讓李香吟無法挑剔。「那店面總該整修一下吧？」

「沒問題，之前我本來就有這個打算。」只是現在錢都先墊出去幫她還會錢而已。

「嗯，結婚前要弄好才行。」她還是很注重面子問題。

「沒問題。」田元豐一口答應。

琇希憂心的睨著他，只有她知道田元豐已經把錢全花在媽媽的會錢上，根本沒辦法再拿錢出來整修。

田元豐對她微微一笑，要她不要擔心。

李香吟得到他的保證後也不囉嗦，直接切到下一個主題。「好，再來我們就來談談關於聘金及禮俗的事。」

「嗯。」

沒想到接下來的「談判」出乎意料的順利，李香吟並沒有出現他們所擔心的獅子大開口，一切都在合理可接受的範圍內，聘金甚至只要象徵性的八萬八千元。

田元豐和琇希的婚事總算是撥雲見日啦！

不過，還是得先等田元豐搞定店面重新整修的問題才行。

❀ ❀ ❀

離開藍家後，田元豐和琇希並沒有馬上回機車店，因為李香吟要求結婚以前琇希必須搬回家裡，不可以再和田元豐同居，所以他們騎車到明德水庫，慶祝他們終於突破最難的關卡，可以光明正大的在一起了。

「咦？這好像是我們第一次在苗栗約會喔。」田元豐將車子停好後，牽著琇希沿著堤岸散步。

「嗯，之前都是騎車到外縣市比較多，最近你比較忙，所以都沒出去，幾乎都待在店裡。」她可真會記恨，講得這麼清楚。

田元豐露出一抹淺笑。「妳現在的表情很像怨婦。」

「還好吧？」琇希主動將雙手勾上他的手臂。「我又沒怪你。」

田元豐側低頭看她。「妳確定?可是從我這個角度看下去，妳的嘴巴嘟得很高，可以掛三串香腸沒問題。」

琇希立刻抿嘴，企圖湮滅證據。

她可愛的動作引來田元豐的暢笑，他已經記不得上一次這樣開懷大笑是什麼時候了。

琇希傻傻的瞅著他，好像從開始交往到現在，她都沒看過他笑得這麼爽快的樣子，原來他的笑容是這麼的耀眼奪目呀!

「怎麼了?為什麼看起來呆呆的?」捏捏她的臉頰。

琇希卻掩嘴偷笑。

「笑什麼?」田元豐感到一頭霧水。

她還在笑，而且變成得意的笑容。

「喂~~到底在笑什麼?」他不喜歡這樣不知道她在笑什麼的感覺。

「幸好來不及了。」琇希邊笑邊說，她現在的心情好極了。

「什麼東西來不及了?」他們又沒有要趕場看電影。

「別的女生啊！」

「什麼女生？」怎麼他有聽沒有懂？

琇希鬆開手，繞到他面前停下腳步，與他面對面，笑盈盈地說：「我剛剛才發現你的笑容有多迷人，幸好我已經把你訂下來了，不然我怎麼拚得過其他的女生啊！」擁有他大概會是她這輩子最滿足的一件事。

「我還以為是什麼事咧！嚇我一跳。」被她這樣稱讚，他有點不好意思。

「怎麼突然說這麼甜的話？讓我有些不能適應。」

「只是說出心裡的話，有些話我甚至藏在心裡十幾年都不敢告訴你。」原來她已經暗戀他這麼久嘍！

「十幾年?!」他們正式交往也不過是今年的事。

「是啊，你不知道我已經暗戀你很久了喔？」反正木已成舟，現在可以說了。

「那不是阿邦他們在開玩笑的嗎？」這是之前阿邦常常笑鬧的話題之一。

她搖搖頭。「阿邦雖然是用開玩笑的口吻，不過我暗戀你卻是真的，從國中就開始了。」

「真的?!我怎麼都不知道。」國中時，他對她真的一點印象都沒有；高中還是因為住同一條巷子及藍勝希的關係，才對她有一點點的印象。

「笨蛋！要是讓你知道的話，還叫暗戀嗎？」那該叫單戀吧！

「喔。」他抬手順順頭髮。「但是我沒收到過妳的巧克力或圍巾啊！」他的記憶力是一流的，雖然會把收到的巧克力轉送給周遭的同學或隊友，但是一定會先看是誰送的，算是對送禮的人表達一點尊重吧！

「當然！因為我從沒送過，雖然每次都有準備巧克力，但是每次都是送進自己的肚子裡。我連棒針的種類都分不清楚，當然不可能送你圍巾。」連買巧克力的錢都是平時一點一滴存下的。

「為什麼不送？」既然喜歡他，就應該要讓他知道才對。

「因為太多人送了，而且我聽說你自己都不吃，全進了別人的肚子裡，與其這樣，倒不如送進我的肚子裡補補身體。」巧克力也是貴貴的耶！尤其是要送給心儀的對象，更是馬虎不得。

田元豐再度發出爽朗笑聲。「哈哈哈哈～～果然是實際派的。」

琇希瞇起眼。「你現在看起來很驕傲厚？當年有這麼多人暗戀你耶！」

「還好，都是過去式了。而且妳沒聽過一句話嗎？弱水三千，只取一瓢飲，我已經找到我生命中的那瓢水，又何必再去在乎以前的豐功偉業。」現在的他只想牽著她的手。

「原來你也會說甜言蜜語耶！」這次換她虧他。「幸好當年你只顧著打籃球，不然現在就不是我和你站在這裡了。」

她自認沒有什麼優越的條件可以和其他人競爭。

「哈哈哈哈～～我們注定是一對的。」輕勾她的頸項，將她納入懷中。

他們停在面對水庫中央的欄杆前，田元豐站在藍琇希身後，將她包納在懷中。

琇希抬起頭對上他的下巴。「說到這個，剛剛你答應我母親的事怎麼辦？」

「妳指的是哪一件？」他答應不少事情。

「都一樣啊！尤其是要重新整修店面的事，為了幫我們解決問題，你已經花這麼多錢了，還有辦法花錢整修嗎？」都怪她不爭氣，才會讓他獨力幫他們扛債務。

「我本來確實也預計要重新裝潢啊！」

「但那是在錢還沒被我們花掉之前對不對？」她知道他是動用了裝修用的準備金。

「嗯。」他不否認這一點。

「那現在怎麼辦？」

「還是要整修啊！我可不想再過王老五的生活，像這麼冷的天氣，有一個人在身邊可以取暖多好。」

已經習慣身邊有個人了，所以他一定要趕快把李香吟交代的事情辦好，好早日將琇希娶回家。

「我是說真的！裝修要花這麼多錢，你可以負擔嗎？」看起來她比較擔憂。

「拿車店去向銀行貸款就可以啦。」來這裡的路上，他就已經想好要用這個辦法了。

「那利息會不會很高啊？」雖然偶爾會幫老闆娘跑跑銀行，但是對於一些利率的問題她不是很明白。

「不會，因為有不動產可以抵押，所以利息會比一般其他種類的貸款低上許多，是目前最好的選擇。」無論如何，他都會達成任務。

「聽起來好可怕，抵押房子耶！」抵押兩個字就像洪水猛獸一樣，令她感到不安。

「不會啦！只要按時繳款就不會有問題。」他一點都不擔心貸款的事。

「喔。」

她的心裡還是很不安，畢竟勝希也是因為車子的什麼貸款而將事情搞到這麼大，所以擔心同樣的事情也會發生在田元豐身上，這樣的話，藍家可就太對不起他了。

田元豐扳過她的肩膀，讓她轉身面對他。「妳現在一臉哀傷的樣子，很像是在懷疑我的信用。」

「不是懷疑，是擔心。」

「安啦！一切都在掌握中。」將她摟進懷裡。「我覺得比較嚴重的是——伯母竟然要我們婚前不能住在一起?!這招真是太狠了！無論如何我一定要趕快把店面整修好，然後帶著她要求的八萬八聘金及十二項大禮，風風光光把妳娶進門。」

「我不要風風光光，只要能和你在一起就好。」

「那是一定要的啦！」低頭輕啄一下她紅通通的臉頰。「不過……」

「不過什麼？」田元豐突然來個欲言又止，可嚇壞了琇希。

「不過嫁給我就要有心理準備，除非中樂透，否則不太可能在短期之內大富大貴，唯一可以保證的是，我一定會努力工作，努力存很多的錢，讓妳能過著無慮的生活。」

雖然他還是不後悔選擇修理機車這條路，但總覺得對琇希會有所虧欠，畢竟這是個不太可能致富的行業。

琇希抬起頭，以堅定熾熱的眼神瞅著他。

「我不要什麼大富大貴，因為我已經找到我命中的王子，你是我專屬的機車王子，有了你，其他的事對我來說都不是很重要。」

在兩個人比完噁心度後，田元豐終於貼上她等待已久的嫩唇，就算現在的氣溫只有八度，他們兩人的身心可都是暖呼呼的呀！

一向沒什麼人煙的明德水庫，因為他們的「加持」，終於感覺有點人氣嘍！

——全書完

後記

晴宇

天氣越來越冷嘍！

大家一定要注意保暖，小心不要感冒了。

相信天氣冷對我們這些作者來說，「絕對」是一種煎熬，至少本人此次深刻體會到。

加入狗屋這麼久，也不是沒在冬天趕過稿，但總覺得都沒有今年冬天來得痛苦。連續兩個超強冷氣團來襲，讓《機車王子》的進度從騎機車變成踩三輪車，上面還要載著兩團名為冷氣團的大石頭。

真是冷到最高點，每天都很冷。

每次在書桌前最多只能撐十分鐘，聽著外面咻咻叫的風聲，瞪著毫無進展的稿子，自我催眠一下後，就縮到被窩裡抱著暖呼呼又睡得香甜的阿莨哥取暖，然後再把冰到不行的腳放到宇夫的小腿肚上，很快就可以看見宇夫從床上驚醒然後跳起來，這種情況其實每年都要上演個幾次啦！

據宇夫形容，本人雙腳的冰寒程度，會讓他感覺由小腿肚一路寒到心底，整個心臟會突然縮成一團……也許心肌梗塞就是這種感覺吧？

天氣雖然冷，稿子還是得繼續進行，所以我準備了毛線帽、羊毛襪、半截的露指毛手套、還有一件超級大件的羽絨外套，這下全副武裝總行了吧?!

不行！還是冷，打從腳底一路冷上來。

基於宇夫以安全考量為由的規定，所以我們是不用電暖器的，因此每當冷氣團過境時，稿子的進度幾乎等於零。

幸好冷氣團過後氣溫都會回升不少，所以可以卯起來趕。

謝天謝地，稿子終於如期完成，連阿莨哥都感受到我的興奮，在一旁拍手呢！

不過宇夫卻在一旁冷言道：「終於把那個機車男搞定啦！下次不要取這種聽起來就是會卡稿的書名。」

「哪有卡稿？只是因為天氣太冷進度比較慢而已。」我可要強力狡辯一番。

即使在趕稿的過程中確實抓掉一大把頭髮，現在也絕對死不承認。

宇夫當然就是一臉「妳在狡辯」的表情。

※ ※ ※

快要跨年的某天。

晴宇對宇夫說：「馬上就是新的年度了，你該有點表現了吧？」

「嗯？什麼表現？我還不夠好嗎？每個週休都拖著老命帶你們母子倆上山下海到處玩樂，妳還要我有什麼表現？！」聽得出來宇夫是在抱怨沒錯。

「我知道啊！但是我說的是後記，你都答應我多久了，可是每次都黃牛，這樣對讀者也不好交代耶！上次可是有讀者寫信來指名說要等你的後記喔！」

「真滴？！」宇夫眼睛閃閃發亮。

「當然，不然我拿信給你看。」真的有讀者在等宇夫的後記嘛！

「嗯……也好，我就幫妳寫一篇吧！」宇夫一邊拿出相機一邊說。

晴宇疑惑的看著他。「那你拿相機要幹麼？」

「自拍啊！拍些阿莨哥和我英挺俊帥的『背影』，然後挑幾張放上去就好啦！保證可以填滿好幾個頁面，比起文字敘述，我相信讀者會更喜歡本人的背影，賭神不也都是只照背影嗎？」

接下來只有啪啪聲和男人的哀嚎聲，我想大家都認識這麼久，發生什麼事就不用我再多說了吧？

我決定先把阿莨哥的照片放上來，一方面是為了避免未來宇夫真的用這一招，一方面當然是有小小的私心嘍！

希望能做一個紀念，也是一個證明，等阿莨哥長大的時候，我就可以驕傲的告訴他——媽媽真的是小說作者，很厲害吧！

當然，基於安全考量，這兩張是阿莨哥比較小的時候的照片，現在的他，一臉皮樣，和小時候差很多哩！

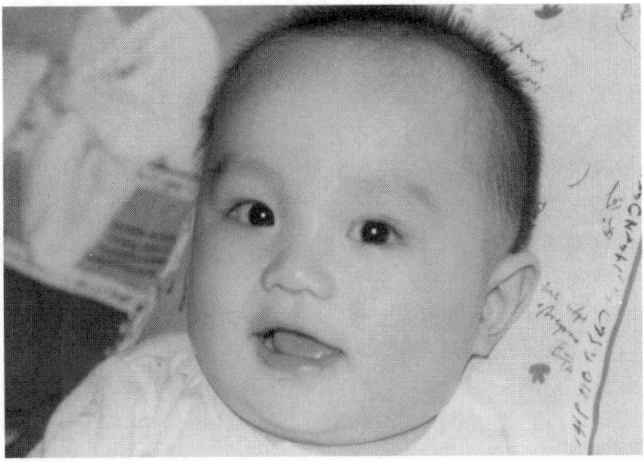

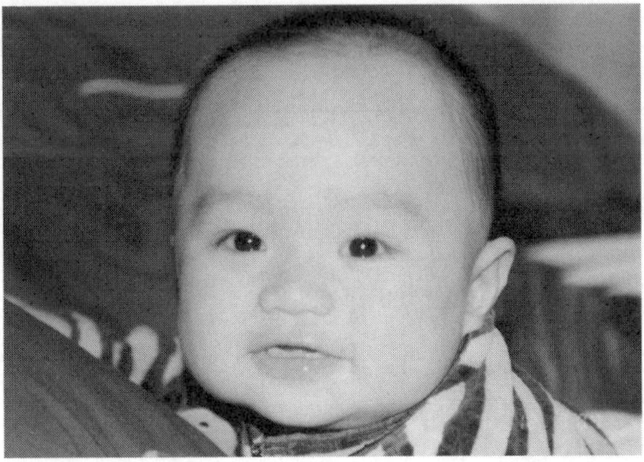

鬥妻番外篇（I） 于 晴

太平盛世？這就是太平盛世嗎？
為何這樣的盛世未及他窮困的家鄉？
所以他被賣了……不為賺錢，只為家裡少個人搶飯吃！
可，有誰會要他？這樣一張天生異貌，誰見了不怕……
啊——這阮家小小姐，這力大無窮的阮家小小姐啊，
她輕輕一拍，桌子頓時碎屑紛飛……她真的只有六歲嗎？
瞧她一聽到背書，身子居然縮得比他還像個小老頭；
還有她那個悶葫蘆似的小師弟，
竟連背書、罰跪也能睡著！
所以，他成了他倆的伴讀……
怪了，只是伴讀……為何他會全身熱氣直竄？
是不是他的冬天，開始有暖意了……

鬥妻番外篇（II） 于 晴

花前月下之約後……
三題定勝負！
輸了離房；贏了……滿室春意燒不盡……
呃，始料未及，始料未及呀！
他說，她總是教他心癢難耐……尤其是那骨子正氣！
他還要她愛他入骨……在她貧乏的情趣之下！
心癢難耐？愛他入骨？
這……她、她也會呀！瞧——
她撲——撲上他的床！
她啃——啃到他滿意為止！
結果是……
原來，這檔子事，她總厚顏不過他，
她的「晉江工程」，到底還是要由他來完成……
在他們成婚後的日子……始料未及，始料未及呀！

尋夢園 系列 1158

欠妳的幸福

樓雨晴

「不給我一個證明的機會，又怎麼知道結果？
要是我們在一起的感覺沒那麼好，你隨時可以分手。」
這個女孩的毅力、努力、誠意真教他驚奇！
他不明白養尊處優的她究竟是欣賞他什麼地方？
明明是個十指不沾陽春水的嬌嬌女，
身邊又有成堆比他優秀幾百倍的追求者，
卻偏偏要跟他這個平凡男子在一起——
為了向他證明自己不只是個賞心悅目的洋娃娃，
她甘願放棄奢華優渥的生活，學著洗衣、烹飪、
打理家務，開始懂得平實的滋味；
甚至異想天開地提議「用感覺談戀愛」，
這一切改變只是要告訴他，她是個值得他愛的女孩…

名暖不敗金

子　澄

為了讓自己有更多時間配合模特兒經紀公司的課程，
凡事喜歡親力親為又不想浪費金錢的名媛梁筱筠，
不得不央求老媽為她找個能夠打點瑣事的幫傭。
但她怎麼也沒想到，老媽竟會為她找個「男管家」！
而且這傢伙居然還動手幫她清洗貼身衣物，
然後一件件排列整齊的晾在陽台上「張牙舞爪」？！
噢，天哪～～這下子叫她面子要往哪裡擺？
由於她一個人獨居，居家環境極為單純，
因此白柏軾這個萬能管家閒到還能抽空經營副業。
不過他一直不明白，這女人為何老愛跟他搶事情做？
簡直是害他英雄無用武之地嘛！
雖然常常為了工作和她發生爭論，
可怪異的是，他竟然反而對她產生了控制不住的悸動……

系列 1159

狂火(熱愛系列之一)　夙雲

這是結婚第一百天，馮曉喬的婚姻卻已宣告死亡。
她曾以為和丈夫是青梅竹馬、兩情相悅，沒想到，
一切都是殘酷的謊言，原來她的丈夫早就是另一個女人的愛侶，她只是橫刀奪愛的第三者。
她曾以為他是真心愛她，會就這樣與自己白首偕老誰知道他對她的每分溫柔，都不過是做戲、是敷衍。
今天，就還給他自由，還給他想要的生活，
這場美夢，她徹底地醒了……為滿足繼父的願望，
費競焱接受了這段無愛的婚姻，即使他的小妻子對他百依百順、體貼備至，他的心仍始終被交往數年的美艷情人所吸引，
至少……他一直是這麼以為的。
在曉喬決絕離去的此刻，他竟心痛得無以復加，
這苦澀的滋味他可從未嚐過，莫非這就是愛？
若說他直到此刻才領悟，可還來得及挽回？

寶貝最寶貝　喬安

「人不犯我、我不犯人」向來是韓恩愛做人的最高指導原則，但這可惡的敖正斯永遠都在試探她的底限——
他是女同學暗戀的對象、好學生的意見領袖，
全校師生都對他心悅誠服，還封他為「敖青天」，
他就好好當他的模範生、白馬王子嘛，大家井水不犯河水，不就相安無事了，幹麼成天盯著她的一舉一動，
一看她哪裡不順眼、不對勁，就跟教官糾舉她，真小人！
可最討厭的是，每次她明明有滿腔怒火想發洩、
想罵人，一看到他露出的笑容，
所有的壞脾氣就瞬間縮了回去——
這樣窩囊下去，豈不有違她的行事風格、讓她丟人現眼，
還是早點跟他劃清界線說掰掰，不要繼續糾纏不清……

小說系列

為您尋找青春彩夢

1124 霸　獅……子　澄

1125 週末婚……單飛雪
（現代愛情神話之二）

1126 冤冤相報何時了……樓雨晴
（再見冤家系列之三）

1127 照子放亮點……喬　安

1128 聰明少東傷腦筋……子　澄
（二世子系列之一）

1129 晴逢敵手……可　兒
（郝女人系列之一）

1130 小妹別太嗆……原　夢
（嚴家兒女之一）

1131 相思修羅（上）……黑潔明

1132 相思修羅（下）……黑潔明

1133 斷指娘子……于　晴

1134 綁架愛情……芃　羽
（五行麒麟第一部番外篇）

1135 狡猾少東吃不開……子　澄
（二世子系列之二）

1136 堂堂男子漢……湛　清
（男兒本色系列之一）

1137 愛死不償命……莫　顏
（心顫排行榜之一）

1138 幸福糊塗蟲……晴　宇

1139 一朵鮮花搶先採……樓雨晴

1140 珠玉在側……席　絹

1141 好馬只吃回頭草……晴　宇

1142 桃花少東倒栽蔥……子　澄
（二世子系列之三）

1143 使詐不NG……莫　顏
（心顫排行榜之二）

1144 天國之鑽……夙　雲

1145 艷光四射……可　兒
（郝女人系列之二）

1146 二哥別太任性……原　夢
（嚴家兒女之二）

1147 傳　說……淩淑芬

1148 俊　狐……芃　羽
（所愛非人之一）

1149 密愛·2503房（上）……單飛雪
（現代愛情神話之三）

1150 密愛·2503房（下）……單飛雪
（現代愛情神話之四）

1151 龜毛少東愛耍酷……子　澄
（二世子系列之四）

1152 貧窮王子……夙　雲

1153 裡裡外外都愛你……晴　宇

1154 小小大丈夫……湛　清
（男兒本色系列之二）

1155 大熊與宜靜……典　心

1156 鬥妻番外篇（I）……于　晴

1157 鬥妻番外篇（II）……于　晴

1158 欠妳的幸福……樓雨晴

1159 名媛不敗金……子　澄

1160 機車王子……晴　宇

1161 膽小鬼……洛　煒

1162 狂　火……夙　雲
（熱愛系列之一）

1163 寶貝最寶貝……喬　安